KB171900

# 불의 고리

장편 추리 소설

불의 고리

발 행 | 2024년 1월 26일
저 자 | 박윤
펴낸이 | 한건희
펴낸곳 | 주식회사 부크크
출판사등록 | 2014.07.15.(제2014-16호)
주 소 | 서울특별시 금천구 가산디지털1로 119 SK트윈타워 A동 305호
전 화 | 1670-8316
이메일 | info@bookk.co.kr

ISBN | 979-11-410-6875-2

www.bookk.co.kr

# 불의 고리

박윤 지음

어디선가 낯설고 기이한 그녀를 만나면
언젠가 만났을 누구였을지도 모르니
친절하게 대해주세요.

도형사 드림

1.

2015년 4월 19일.

수철이만은 그대로였다. 영선이 이곳에 온 지 8년이 되었지만, 그동안 한 번도 웃거나 화를 내거나 뛰거나 걷는 모습을 본 적이 없었다. 눈을 뜬 적도 소리를 낸 적도 없었지만, 그의 머리와 심장에 연결된 조그만 단자들은 컴퓨터 화면에 들쑥날쑥 나타나는 그래프로 끊임없이 움직이고 있었다. 때론 높게, 때론 낮게. 수철은 숨을 쉬는 시체와 다름없는 상태였다. 영선은 그 그래프가 무엇을 말하는지 정확히 이해할 수 없었다. 8년이나 움직이지 않고 누워 있는 수철이와 그런 수철이를 돌보며 이곳에 숨죽이며 지내고 있는 영선 대신 오직 이 그래프만 살아있는 것 같았다. 게다가 너무 빠르게 움직였으므로 보고 있으면 어지러웠다. 처음 이곳에 왔을 때 그 그래프만 몇 시간이고 들여다보고 있다가 영선은 그대로 쓰러져 정신을 잃은 적도 있었다. 그 후로 영선은 컴퓨터 화면을 보지 않으려 일부러 검은 천으로 가려두었다. 그것을 보지 않고도 영선은 수철이가 살아있다는 것을 알 수 있었다.

수철이는 말이 많았다. 눈뜰 때부터 잠들 때까지, 심지어는 잠들어서도 계속 수다를 떨어서 영선은 그만 좀 말하라고 소리를 지른 적도 있었다.

수철은 콧김을 흥흥 내뿜고 있었다. 낮잠 자기 싫다는 표시였다. 수철과 영선은 숨의 세기와 길이로 서로 의사소통을 했다. 그것이 수철이의 언어였다. 영선의 입장에서 보자면 수철은 까다로운 사람이었다. 밥을 먹을 때도 외출을 할 때도 이거 해달라 저거 해달라 요구사항이 많았다. 컴퓨터와 연결된 단자를 떼어달라고 요구하는 일도 많았다. 의사 선생님이 그건 절대 안된다고 영선에게 신신당부를 했기 때문에 그것만큼은 영선도 단호히 거절하고 있었지만 사실 규칙이란 건 두 사람에게 그다지 중요하지 않았다. 그런 규칙들을 만들어 내는 사람들은 멀리 있었다. 낮잠을 자는 것도 수철이 싫어하는 것 중 하나였다. 겉으로 보기엔 계속 잠을 자는 상태처럼 보여서 그런 것인지 수철인 잠드는 것을 유난히 힘들어했다. 그럴 때면 영선은 수철의 눈썹을 문질러 주었다. 그러면 천천히 숨이 잦아들며 잠이 들었다.

영선은 집 앞 개울가에 나와 앉았다. 4월의 햇살은

따뜻했다. 외돌 바위 계곡의 외롭고 혹독한 겨울을 지낸 보상 같은 햇살이다. 이 계곡에 오직 수철과 영선 단둘만 있었다. 영선을 두고 '머리가 좀 모자란'이라고 담임 선생님은 말했다. 영선의 중학교 담임 선생님은 영선을 두고 '머리가 좀 모자란 여자아이'니까 시키는 대로 잘 할 거라고 말하는 것을 들었다. 자신이 머리가 좀 모자란 것이 사실인지 어쩐지 영선은 수철을 돌보는 일이 싫지 않았다. 머리가 온전한 사람이라면 수철이를 싫어해야만 하는 것일까? 영선은 생각했지만, 그냥 '머리가 좀 모자란 여자아이'로 남기로 했다. 아무렴 어떠냐. 영선이 이곳을 떠나면 수철이는 콧김을 흥흥 내뿜으며 화를 낼 것이다. 그래봤자 아무도 듣지 못하겠지. 수철이가 화가 났다는 것을 아무도 모를 것이다. 수철이가 기분 좋을 때면 흐흐흐 바람 빠지는 소리를 내며 웃는다는 것을 아무도 모를 것이다. 그저 시체처럼 누워만 있다고 생각하겠지. 개울물이 7000번째 움푹 파인 돌에 부딪혀 솟아오르는 소리를 들으며 영선은 일어났다. 200번 정도 더 물이 돌에 부딪혀 오르면 수철이가 일어날 것이다. 수철이는 일어날 때 옆에 없으면 화를 냈다.

"혼자 있으면 무서워서 그래?"

‘아니야’

“아니긴 겁만 많아서”

‘니가 어디 나가서 나쁜 사람들 만났을까봐 그래. 세상에 나쁜 사람들이 얼마나 많은지 알아?’

“여긴 너하고 나밖에 아무도 없어. 8년간 아무도 없었고 앞으로도 아무도 없을걸.”

‘그래도 모르는 거야. 산엔 별별 이상한 사람들이 다 온다고.’

“이상한 사람? 어떤 이상한 사람?”

‘우리 같은 사람들?’

“우리가 이상해?”

‘나는 숨만 쉬는 시체 같고 넌 영양실조 걸린 아이 같이 허여멀건 하잖아.’

“너희 엄마가 언제나 니 밥만 많이 사오니까”

수철이가 화를 삼키며 입을 다물었다. 그러자 오히려 영선이 불안해졌다. 수철이를 화나게 하려고 수철의 엄마 이야기를 꺼낸 것은 아니었다. 언제나 영선의 밥은 모자랐기 때문에 영선의 몸집이 작은 이유를 사실대로 말한 것뿐이었다. 영선은 수철의 몸을 툭 쳤다. 그래도 숨을 쉬지 않자 수철의 가슴을 힘껏 눌렀다. 헉 소리와 함께 숨이 쏟아져 나왔다.

“내가 그러지 말라고 그랬지? 그냥 말로 하라고”

수철인 이내 숨을 고르게 쉬며 미안하다고 말했다. 그 후로 한참이나 수철이는 말이 없었다. 컴퓨터에 연결된 단자 없이도 영선은 수철이가 숨을 쉴 때와 말을 할 때를 구분할 수 있었다. 수철이 말이 없다고 숨까지 쉬지 않는 것은 아니다. 이번엔 그저 말이 없는 것일 뿐이다. 수철이 입을 다물자 영선은 배를 깔고 엎드려 어제 집 뒤편에서 발견한 버섯을 바닥에 그리기 시작했다. 버섯의 주름 하나 하나를 세밀하게 그리느라 저절로 미간에 주름이 생겼다.

‘너희 엄마 보고 싶지 않아?’

“응?”

영선이 무신경하게 반응하자 수철이 다시 물었다.

‘너희 엄마 오셔서 너 데려가라고 해.’

“그럼 너는?”

‘너가 가면 우리 엄마도 날 데려가겠지. 너희 엄마는 널 이렇게 힘들게 하지 않을 테니까. 밥도 많이 줄거고 옷도 사주고 학교도 보내주고.’

영선은 8년 전에는 함께 살았던 가족들의 모습을 떠올려봤다. 엄마 아빠는 언제나 웃고 있었다. 먹을 것은 언제나 먼저 먹으라고 영선의 입에 넣어 주었다. 그래도 늘 배가 고프긴 했지만. 지금쯤은 잘 지내고 있을까? 수철의 엄마가 수철을 돌봐주면 매달 영선의 부모님에게 돈을 보내준다고 했다. 엄마 생각을 하니 눈 근처가 욱신욱신 아파 왔다. 아빠의 허리는 다 나았을까? 얼른 엄마 생각을 지워냈다. 눈이 아파져서 눈물이 나는 건 기분 나빴다.

수철이의 생일이라며 이마가 반들반들한 여자와 코가 반들반들한 남자가-수철과 영선은 수철의 엄마 아빠를 이렇게 불렀다- 나란히 왔다. 둘이 함께 오는 것은 오랜만이었다. 아니 8년 동안 처음 있는 일이었다. 그것뿐만 아니라 그들의 손엔 처음 보는 상자가 들려 있었다. 상자를 열자 한 번도 보지 못한 예쁜 케이크가 들어 있었다. 영선은 그 예쁜 모습에 입을 딱 벌리고 바라보았다. 뭐 이렇게 예쁜 것이 있지. 영선은 끊임없이 그게 뭐냐고 물어보는 수철이의 말들을 듣는 둥 마는 둥 무시하고 정신없이 케이크를 바라보았다. 이마와 코가 반들반들한 여자와 남자는 케이크에 촛불을 켜고 수철의 앞에 놓았다. 그러자 온

방 안은 완전히 이 아름다운 케이크에게 점령당해 버렸다. 거부할 수 없게 마음이 흐물흐물 녹아내리는 느낌이 들었다.

“수철아, 생일 축하한다.”

이것은 내 것이 아니었구나. 영선은 실망했다.

“마음속으로 소원을 빌면서 촛불을 불어.”

이마가 반들반들한 여자는 수철이를 위해 노래를 불렀다. 영선은 처음 듣는 노래였지만 좋은 노래라는 것을 알 수 있었다. 빨갛고 노란 초가 녹아 하얀 케이크 위로 흘러내리는 모습은 온몸에 털이 곤두설 만큼 멋있었다. 영선은 노래가 끝난 뒤 얼른 손가락으로 케이크을 집었다. 그러자 이마가 반들반들한 여자가 불같이 화를 내며 접시를 닦아 오라고 했다. 영선은 빨리 케이크를 먹고 싶은 마음에 벌떡 일어나 접시를 챙겨 들고 수돗가로 가서 세차게 물을 틀어 정신없이 접시들을 씻기 시작했다. 행여 접시에 뭐가 묻어 있다면 이마가 반들반들한 여자가 못 먹게 할까 봐 두 번씩 씻었다. 방 앞에 서서 다시 한번 접시를 확인했다. 그때 방안에서 여자와 남자의 이야기가 들려왔다. 영선 어쩌구 하는 이야기였다. 영선은 행여 자신이 이마가 반들반들한 여자의 기분을 상하게 해서 케이크를 못 먹게 하려는 건가 싶어서 가슴이 철렁 내려앉았다. 영선은 조심스럽게 방문을 열고 들어갔다.

"영선아 이리 앉아봐라."

코가 반들반들한 남자가 말했다. 영선은 소리도 내지 않고 앉았다.

"그동안 수고 많았다. 우리 수철이 돌봐주느라."

영선은 무슨 말인지 몰라 코가 반들반들한 남자를 바라봤다.

"수철이가 이제 수술을 받을 수 있게 됐어. 수철이를 수술해줄 의사 선생님이 이탈리아에서 왔다는구나. 오늘 수철이는 서울에 있는 큰 병원으로 갈 거야."
"영선이 넌 집으로 돌아가도 돼."

"무슨 수술이요?"

눈길은 여전히 케이크에 빼앗긴 영선이 물었다.

"수철이가 다시 움직일 수 있게 하는 수술. 그 수술만 받으면 다시 말도 하고 공부도 하고 걸을 수도 있데."

이마가 반들반들한 여자의 말에 수철이는 그냥 내버려 두라고 소리를 질러댔다. 하지만 영선만 수철의 반응에 놀라 눈을 끔뻑일 뿐이었다. 수철은 아마도 영선이 케이크에 정신이 팔린 것을 못마땅해하고 있는지도 몰랐다. 그는 영선의 관심을 독차지하기 위해 늘 애를 쓸 만큼 질투가 많았다.

"수철인 싫데요."

영선이 말하자 이마가 반들반들한 여자는 입꼬리를 살짝 비틀며 영선을 노려보았다.

"니가 그걸 어떻게 알아?"
"수철이가 그렇게 말하니까요."

아무도 수철이가 말을 한다는 것을 믿지 않는다. 하지만 영선은 그렇게 말해야 했다. 그것은 사실이므로. 이 여자나 남자의 방법으로 말을 하는 것은 아니지만 수철이는 분명 그렇게 말을 했다. 이마가 반들반들한 여자는 피식 소리를 내며 웃다가 이내 차가운 표정으로 돌아왔다. 여자의 그런 표정은 언제나 영선을 향하고 있었다. 수철을 볼 때도 선생님을 볼 때도 그런 표정은 아니었다. 어쩌면 저 표정은 영선만 아는 이마가 반들반들한 여자의 모습일 것이다. 사람들은 자주 영선에게 자신만 알고 숨겨두는 표정을 보여주곤 했는데 그건 아마도 그런 표정을 보여주어도 좋을 만큼 영선이 약해 보였기 때문인 것 같았다. 좀 모자란 여자아이.

"그동안 고생 많았지? 이거 차비 해서 가라."

코가 반들반들한 남자는 만 원짜리 몇 장을 바닥에 내밀었다. 수철이는 가지 말라고 울고 있었다. 하지만 이마가 반들반들한 여자와 코가 반들반들한 남자는 마주보며 웃고 있었다. 영선은 수철이의 말로 괜찮다고 말해주었지만 소용없었다. 수철이는 세상으로 돌아가고 싶어 하지 않았다. 영선은 바닥의 만원 지폐들을 집었다. 영선은 엄마 아빠가 보고 싶었다. 동생들도 보고 싶었다. 이제 가도 된다면 가고 싶다. 영선은 서둘러 짐을 챙겼다. 짐이라고 해봐야 옷 몇 벌이 전부였다. 아껴둔 검은 비닐봉지에 옷과 노트 한 권, 연필을 집어넣고 남자가 준 만원 지폐들도 소중히 옷 사이에 넣었다. 돌아서려는데 수철이 말을 멈추었다. 아까처럼 숨을 참고 있었다. 하지만 영선은 돌아보지 않았다.

"안녕히 계세요. 수철아 안녕"

영선은 수철의 엄마, 아빠에게 인사를 하고 방문을 닫고 나왔다. 수철이가 영선을 향해 욕하는 소리가 들려왔다. 그 욕이 오히려 영선의 발걸음을 가볍게 했다. 8년 만에 외돌 바위 계곡에서 벗어나는 길이었다.

2.

2015년 4월 20일

도형사는 발로 이불을 밀어내며 일어났다. 아직 새벽 추위가 가시지 않은 계절이라 이른 아침에 이불에서 벗어나는 일은 몹시 힘든 일이라고 늘 생각했지만 한 번도 이불 속에서 꿈지럭거려 본 일은 없었다. 쌀을 씻어 안치고 인스턴트 커피를 끓여 부엌 한 켠에 욱여넣은 작은 식탁에 앉아 커피를 마시며 신문을 보고 인터넷 포털 사이트의 사건 사고 면을 봤다.

수원에서 중국 동포가 옆집 남자를 칼로 찌르고 돈을 가지고 달아났다고 한다. 그 중국 동포는 도주 중 돈을 갈취할 목적으로 무고한 시민을 여럿 죽였다. 조금 뜬금없었지만 도형사는 슈퍼마켓 집 며느리를 떠올렸다. 연변에서 왔다는 그 집 며느리는 선한 웃음이 참 인상 좋았다. 슈퍼마켓 집 바깥양반도 며느리가 온 뒤로 장사도 더 잘되는 것 같다고, 복덩이라고 좋아했다.

다른 기사를 살펴봤다.

지하철에서 자리를 양보하지 않았다는 이유로 노인이 지팡이를 휘둘러 임산부가 중태에 빠졌다고 한다. 삼척은 어떠한가. 얼마 전 슈퍼마켓 집 며느리가 임신을 하자 가뜩이나 인구가 자꾸 줄어 아이 울음소리 듣기도 힘든데 좋은 소식이라며 떡을 돌렸다. 떡을 못 받은 몇몇 집이 슈퍼마켓 앞에서 저 집은 두 접시

주고 우리 집은 왜 안주냐고 소란을 피우는 통에 좀 시끄러워지긴 했지만, 슈퍼마켓 집 며느리가 떡 접시를 들고 내려오자 사람들은 자기 몫의 떡을 가지고 돌아갔다. 그게 전부다.

공사장 인부로 일하던 50대 남성이 변심한 내연녀를 칼로 찔러 죽이고 본인도 자살을 기도했으나 목숨은 건졌다는 기사. 저도 모르게 혀를 쯧쯧하며 도형사는 고개를 절레절레 흔들었다.

서울이나 부산 같은 대도시에서는 수시로 살인사건과 갖가지 흉악한 범죄사건이 일어났지만 도형사가 근무하는 이곳 삼척에는 신문에 날 만한 사건은 좀처럼 일어나지 않았다. 그래서 승진의 기회 또한 없는 것이 사실이기도 했다. 도형사가 처음 형사가 되었을 땐 그런 이유로 대도시에 남고 싶었지만, 지금은 '아무 일도 일어나지 않는 상태'에 만족하고 있었다.

그때 느닷없이 전화벨이 울렸다. 도형사는 스마트폰 화면과 자신 사이에 갑자기 끼어든 '지구대'라는 세 글자를 멍하니 바라봤다. 이른 아침에 김순경이 전화를 건 일은 도형사가 호산지구대에 근무해왔던 지난

8년간 없던 일이었다.

"여보세요"
"도형사님, 저 김순경입니다."

김순경은 사뭇 긴장한 어조로 도형사를 불러 놓고 잠시 말을 멈추었다. 자신도 전화를 걸었다는 사실이 어색하고 믿기지 않는다는 듯 침묵이 이어졌다.

"여보세요? 김순경?"

도형사가 침묵을 깨고 김순경을 다시 부르자,

"오늘 새벽에 살인사건이 일어났습니다. 추계리에서요. 지금 나와 주실 수 있습니까?"

김순경은 살인 사건 자체보다 일찍 전화해서 나오라고 하는 것이 미안하다는 듯 말끝을 흐렸다. 추계리라면 꽤 거리가 멀고 담당 파출소도 없는 곳이다.

자기도 모르게 어푸어푸 요란한 요리를 내며 세수를 한 도형사는 서둘러 집을 나섰다. 서에 도착하자 김순경이 서 앞에 차를 대고 기다리고 있었다. 걸어오는 도형사를 보며 김순경은 조금 의외라는 표정을 지었다.

"뭔가 달라 보이십니다."

"응?"

"쫙 빼입은 느낌입니다."

"첫 사건이잖아. 잘 풀리길 바라는 마음으로 입었어."

아닌 게 아니라 안 입던 파란색 셔츠를 입었다.

"그러게 말이에요. 저도 이런 큰 사건은 처음인 거 같습니다."

김순경의 목소리는 설레고 있었다. 도형사는 점퍼 지퍼를 턱 끝까지 올려 파란색을 가렸다.

"피해자는 누구야?"

"일용직 중년 부부로 남자는 정성일 54세 여자는 차순영 52세랍니다."

"부부가 같이 살해됐다고?"

"네. 남편은 배를 탔고 부인은 식당 찬모 일을 했다고 합니다. 그 식당에 저도 가 본 적이 있어요."

"목격자는?"

"아직까진 없습니다. 피해자가 타던 배 선장이 처음 발견하고 신고했습니다. 매일 제일 먼저 나오던 사람이 안 나와서 집으로 찾아가 봤더니 죽어 있었다고 합니다."

"다른 가족은 없고?"

"확인해 보겠습니다. 일단 가시죠."

오늘 아침에 본 인터넷 뉴스가 떠올랐다. 이곳 삼척도 안전지대는 아니었나보다.

시체는 창문도 없는 반지하와 다름없는 좁은 단칸방에 피와 뒤범벅이 된 이불 위에 반듯하게 누워 있었다. 남자와 여자는 목이 심하게 잘려 있었다. 어찌나 세차게 찔렀는지 상처 부위는 너덜너덜해진 채로 목과 몸이 겨우 붙어 있는 정도였다. 그 정도의 끔찍한 상처에 비해 남자의 몸은 다른 상처가 없었지만 여자의 복부에 칼로 찔린 상처가 더 있었다. 여자가 더 많이 찔린 것이다. 목의 상처만으로도 죽음에 이르기에 충분했을 텐데 복부까지 찌른 것이 의아했다.

사체의 훼손이 이렇게 심한데도 불구하고 벽에 피가 튄 자국은 거의 없었다. 다만 바닥에 엄청난 피가 흘러 있었고, 이불과 바닥은 핏자국이 사방으로 번져 있었다. 단순히 피가 흐른 것이 아니라 거친 몸싸움의 흔적 같았다. 하지만 정작 시체는 반듯하게 뉘어져 있었다.

도형사가 많은 살인 현장을 본 것은 아니었지만 이곳은 뭔가 이상했다. 지나치게 정리가 되어있었다. 시체들 역시 지나치게 잔인하다 싶을 만큼 난자당했지만 가지런하게 뉘여져 있을뿐더러 이불까지 덮여 있었다. 이부자리의 핏자국은 낭자했지만, 바닥에는 티끌 하나 없을만큼 깨끗했다. 이불을 들춰보지 않는다면 그냥 지나칠 정도로 방바닥은 반들거렸다.

“이 동전은 뭡니까?”

김순경은 코를 문지르며 물었다. 시체의 눈 위에 동전이 하나씩 놓여져 있었다. 이렇게 참혹하게 죽여놓고선 노잣돈이라니. 반지하의 방안은 곰팡이 냄새, 피 냄새가 뒤섞인 비릿한 습기로 가득 차 있었다. 김순경은 다시 코를 문질렀다.

"이거 무슨 냄새죠?"

"곰팡이 냄새 아니야?"

"아니에요. 뭔가 좀 향긋하다고 해야 할까. 상쾌하다고 해야 할까. 뭐 그런 냄새가 나지 않습니까"

"피 냄새가 향긋하다니 별일이군"

"아니에요. 진짜 빨래 냄새 같은 것이 나요."

눈치 없이 계속 코를 킁킁대는 김순경을 무시한 채 혼자 현장을 둘러봤다.

늘 일찍 나오던 사람이 출항시간이 지나도록 나타나지 않자 의아해진 선장이 굳이 정성일의 집을 찾아왔고, 그 덕에 현장이 발견되었다.

지갑의 현금과 옷장 속의 여자의 옷이 모두 사라졌다. 대신 그 속에 어느 학교인지 알 수 없는 여고생 교복이 피범벅이 되어 곱게 개어져 있었다. 손때가 잔뜩 묻은 비키니 옷장에는 제대로 된 옷 한 벌 걸려 있지 않았다. 초라하고 창문도 없는 반지하 방은 중년을 훨씬 넘긴 부부가 살고 죽기엔 너무 억척스러운 느낌이 들었다.

피 칠갑과 훼손된 시신에도 불구하고 방 안의 모습

은 매우 정돈되어 있었다. 싱크대 속 서랍은 빈 플라스틱 그릇들이 차곡차곡 쌓여 있었지만 부엌칼은 보이지 않았다. 그것이 아마도 흉기였을 가능성이 있었지만 현장에서는 보이지 않았다. 없는 살림이지만 차순영은 살림을 잘 하던 여자임에 틀림이 없었다. 어느 모로 보나 두 사람이 생활을 매우 잘 꾸려왔다는 것을 보여주고 있었다. 도대체 이런 부부를 왜 죽인 것일까. 이토록 잔인하게. 설마 이 보잘것없는 여자의 보잘것없는 옷 몇 벌과 지갑 속 돈 몇 푼 때문에 죽인 것인가. 사라진 것은 오직 그것뿐이었다. 남자의 옷을 미루어 짐작해 보건데 여자의 옷이라고 좋을 리 없었다. 뱃일을 하는 남자와 식당 찬모로 일하는 여자의 비참한 죽음을 보니 도형사의 마음이 무거워졌다.

"그냥 강도가 들었다가 들키자 죽인 거 아닙니까?"

김순경이 말했다.

"강도가 줘도 안 입을 여자 옷 몇 장 훔치자고 이런 곳에 들어 왔을 리 없어. 여자 옷만 가져간 것도 이상하잖아."
"그러니까 죽이고 미안하니까 노잣돈 얹어두고 간 거죠. 우발적인 거니까요."
"아예 죽일 작정으로 온 것 아닐까...."

말끝을 흐리는 도형사의 말에 김순경은 의아한 표정을 지었다.

"왜요?"
"우발적 살인인데 목뼈가 끊어지도록 이렇게 잔인하게 죽였을 리가 없잖아. 돈을 훔치는 게 목적이었다면 시신을 이렇게 훼손하진 않아."
"그럼 왜 죽였는데요?"
"글쎄..."
"이건 분명 외지인의 소행입니다."

김순경은 단언하듯 말했다.

"동네 사람이나 아는 사람이 이랬을 리 없습니다."

도형사는 옷장 속에 개어진 피 묻은 여고생 교복을 봤다. 처음 보는 교복이다.

“김순경, 이 교복 어느 학교지? 처음 보는 거 같은데”

“삼척여고도 아니고 삼척 여중도 아니고 중앙여고도 아닌데…”

도형사는 김순경의 의견과는 반대로 분명히 면식범의 소행일거란 느낌이 들었다. 그리고 계획된 범죄일 것이라고 생각했지만 말하지 않았다. 도형사의 예상대로 방바닥에서는 아무런 지문도 흔적도 나오지 않았다. 머리카락 하나 남아 있지 않았다. 도형사는 김순경에게 현장에서 발견된 여중생 교복과 동전을 국립과학수사 연구소로 보내 감식을 요청해달라고 부탁한 뒤 주변 탐문 수사에 나섰다.

도형사는 주인집의 문을 두드렸다. 주인여자는 살인사건을 의식해서인지 문을 빼꼼히 열고는 얼굴만 겨우 내밀었다. 나이는 55세 정도.

“사건 때문에 나왔습니다. 몇 가지 여쭤봐도 될까요?”

“그러세요. 근데 제가 옆 동네에 사는 친구 집에 가 봐야 해서 한 오 분 만요.”

세 들어 살던 사람이 죽었는데 나간다는 핑계를 대고 있다니 참 인정머리 없는 여자구나 하는 생각을 했다.

“어젯밤에 무슨 소리 못 들으셨습니까? 누가 들어오는 기척이라거나 부부가 나가거나 누군가와 싸우는 소리 같은 거 말입니다.”

“못 들었어요.”

“이 부부와 평소 가까이 지내셨어요?”

“어머, 아니요. 우리는 그냥 세만 놓은 거예요. 잠만 들어와 자는 것 같더라구요. 여기서 4년을 있었지만 얼굴 한번 제대로 본 적이 없어요.”

“그럼 이들 부부와 가까이 지내는 사람은 없습니까? 터놓고 속내를 얘기를 한다거나.”

“글쎄요. 동네 사람 모두 가깝게 지내는 편이지만 그 집은 통 왕래가 없어서...”

“그렇군요”

“처음에는 나도 김장하면 김치도 갖다 주고 부침개도 갖다 주고 그랬어요. 이웃 사람들끼리 그렇게 친해지는 건데 한 번도 접시에 뭘 담아 온 적이 없어. 늘 빈 접시만 갖다 줘. 그런 집하고 무슨 왕래를 하고 지내겠어요.”

주인 여자는 자기의 억울한 사연을 털어놓고 싶었겠지만, 도형사에겐 궁색하게 들렸다.

"경제적으로 어려움을 겪었습니까? 집세를 밀린다거나?"
"집세는 매번 꼬박꼬박 제 날짜에 들어왔어요. 한 번도 날짜도 어긴 적이 없었어요. 그러게... 한 번도 날짜도 틀린 적이 없었네요."
"피해자 부부의 딸은 어디 있는지 아십니까? 다른 도시에서 유학 중이라던지."
"딸이요? 그 집에 아이는 없는데. 딸이 있데요? 별일이네...몇 살이래요?"

당황한 도형사는 얼버무리며 돌아섰다. 등 뒤에서 호기심 어린 눈빛으로 입술을 들썩이고 있는 주인집 여자의 모습이 눈에 보이듯 어른거렸다. 수다스러운 여자일 것이다.

도형사는 근처에 몇몇 가게를 방문한 뒤 바로 항구로 향했다. 탐문 수사를 해도 건진 건 별로 없었다. 대부분의 이웃 사람들의 반응은 주인 여자와 비슷했다. 피해자 부부는 이웃 사람들과 교류 없이 지냈다.

불과 5미터 떨어진 동네 가게에 들르는 법도 거의 없다고 했다. 이따금 두부 한 모 정도를 사갈 뿐인데 안부를 물어도 돌아오는 건 "네","아니요"가 전부였다고 한다. 도형사는 괜히 처음 만난 주인 여자를 오해한 것 같아 미안한 마음이 들었다.

아마도 최초 발견자인 태양호 선장이 피해자 부부와 가장 가까운 사람일지도 모른다는 생각이 들었다. 일하던 사람이 안 왔다고 항구에서 꽤 먼 거리인 이곳 집까지 찾아올 정도면.

항구는 이미 을씨년스러웠다. 밤에 출항하는 오징어 배들만 항구에 남아 있었다. 배가 들어와서 생선을 내려놓고 경매를 시작하면 항구는 마치 일종의 축제를 하듯 북적대며 활기 넘치지만, 평소의 항구는 왠지 모르게 묘한 죽음의 냄새가 났다. 그건 아마도 아무리 씻어내도 시멘트 사이사이, 공기 중에 배어 있는 죽은 생선들의 냄새, 생선 내장의 냄새, 생선 피 냄새 때문일 것이다. 여기서 살인 사건이 났다고 해도 전혀 의아하지 않을 것 같았다. 게다가 이 호산항은 무슨 산업단지인가 뭔가가 들어서면서 항구로서의 생명은 다해가고 있었다. 예전같은 활기는 찾기 힘들었다.

도형사는 항구에 정박해 있는 배들을 눈으로 훑으며 걷다가 선착장에 앉아 하염없이 바다를 바라보고 앉아 있는 60대 남자를 봤다.

"태양호 이수명 선장님이십니까?"

천천히 도형사 쪽으로 고개를 돌리는 이선장의 표정이 너무 허망해 도형사는 저도 모르게 걸음을 멈추었다. 자기가 아무리 형사지만 저런 표정을 짓고 있는 사람에게 어떻게 발견했느냐 시체가 어쩌구 저쩌구 이런 얘기를 한다는 것이 미안하단 생각이 들었다.

"오늘 아침에 살인사건 신고하신 분이시죠?"
"형사님이십니까?"
"네. 삼척서에서 나온 도 민기 형삽니다. 잠깐 얘기 좀 나눌 수 있을까요?"

이선장은 기다리고 있었다는 듯 고개를 끄덕였다.

“오늘 조업 안 나가셨나봐요. 항구가 썰렁한데 태양호만 있네요.”

“새벽에 그 사단이 났는데 어디 그물이고 뭐고 손에 잡혀야 말이지요. 이런 날 바다 나가면 큰일 납니다.”

“그렇군요.”

잠시 침묵이 흘렀다. 그 침묵이 불편했던 도형사는 서둘러 말을 꺼냈다.

“피해자를 발견한 시각은 언제입니까?”

“배가 4시 출항이니까 3시 반까진 나와야 하는데 안 와서 갔지요. 그러니까 대충 3시 50분 정도 됐을 겁니다.”

도형사가 사건 현장에서 걸어온 시간을 보면 이 말은 아귀가 맞았다.

“발견하시고 나서 바로 신고를 하신 겁니까?”

“예. 근데 아무도 전화를 안 받아서 배로 다시 왔습니다. 배에 있던 소주 한 사발 들이키고 선원들 보내고 7시쯤 다시 신고했습니다.”

"피해자를 마지막으로 본 건 언제입니까?"

"어젯밤에 여기 들러서 그물 정리하고 갔으니까 저녁 8시 정도에 집에 간다고 갔습니다. 새벽 조업이라 배에서 잔다는 거 조금이라도 편하게 자라고 돌려 보냈는데..."

"배에서 잔다고 했다고요? 원래 그럽니까?"

"그렇지요. 성일이는 막내니까 그게 보통이지요."

"정성일씨는 호적상 54세이신데 막냅니까?"

"호적이야 어쨌든 간에 일 시작한 지 4년 밖에 안 됐으니까. 갑판장이라 기관사랑 다 성일이보다 어려도 선배는 선배 아닙니까. 뱃일은 목숨 걸고 하는 일이라 그게 안 지켜지면 큰일이거든요."

"그 전에는 뭘 했습니까?"

".... 그냥 먹고 살려고 이 일 저 일 했다고 그러던데... 자세히는 안 물어 봤습니다. 나이 50에 여기까지 굴러와서 배 탈라고 하면 뭐 오죽 했겠습니까"

"평소에 동료들과 사이가 안 좋다거나 싸움이 잦다거나 그런 일은 없었습니까?"

"힘들게 살았다고 사람도 그렇게 거친 줄 아십니까. 세상에 그렇게 좋은 사람이 없습니다. 말수가 없어서 그렇지 배 탈 때 빼곤 활복장에서 온갖 잡일 다 하고, 배에서도 한 사람 몫 톡톡히 했습니다. 그래서 원래 이 배라는 건 목숨이 달린 거라 모르는 사람은 잘 안 태우는데, 잘못하면 나도 죽을 수 있다 아닙니까. 근데 내가 하루 태워보고 그 나이에도 타라고 했지요. 욕 한번 하는 거 못 봤습니다."

도형사는 왠지 이선장이 자꾸만 자신을 비난하는 것 같아 입이 다물어졌다.

"술도 한잔 안 먹고 그 돈 다 모아 뭐할라고 그리 고생만 하다가 빛도 안 들어오는데서 그리 갔는지"

"정성일씨가 평소에 돈을 많이 가지고 다니진 않았습니까?"

"돈이요? 내가 그 지갑 버리라고 했습니다. 텅 비어 있는 거 뭐하러 들고 다니느냐고."

"수당 주는 날은 언제입니까?"

"다른 사람은 건당 주는데 성일이는 아직 뭐 그럴 것이 없어서 매달 29일에 주고 있습니다."

"이선장님은 배 오래 타셨습니까?"

"오래 탔지요. 16살 때부터 아버지 따라 이 태양호를 탔으니까요. 40년 탔습니다."

"새벽에 현장에 가셨을 때 누굴 보거나 하진 않으셨습니까?"

"불이 켜져 있어서 누가 있었다면 봤을건데... 아무도 못 봤습니다."

"참고로 어제 저녁 9시 경부터 사건을 발견하기 전까지는 어디에 계셨습니까?"

"집에 가서 잤지요"

"알겠습니다. 말씀 감사합니다."

도형사는 옷을 털며 일어섰다.

"근데요 형사님"

도형사는 걸음을 멈추고 이선장을 돌아봤다. 이선장은 머뭇거리다가, 고백이라도 하듯 말을 꺼냈다.

"올해 해신제를 안 지냈어요."

"네?"

"다른 집들은 다 해신제를 지냈는데 나는 돈이 없어서 해신제를 안 지냈어요..."

배를 타는 사람들은 미신을 믿고 있었다. 배 탈 때 여자를 안 태우는 것도 그런 이유이다. 도형사는 이런 살인 사건에 미신을 적용하는 이선장의 사고방식이 좀 웃겼지만 대꾸 없이 그저 고개를 꾸벅 숙이고 돌아섰다.

서로 돌아오던 도형사는 김순경의 전화를 받았다.

“형사님 그 교복 어느 학곤지 확인했습니다.”
“어느 학교야?”
“도계중입니다. 교복 맞추는 가게에 물어봤으니 확실할 겁니다.”

도계는 삼척시이긴 하지만 워낙 외진 곳이라 한 번도 가본 적이 없었다. 산이 많아 언제 한번 산을 타 봐야지 생각했었지만 이렇게 오게 될 줄은 몰랐다. 택시 창밖으로 아직 봄을 타지 못한 휑한 산들이 펼쳐졌다. 산을 둘러둘러 도계 읍내에 도착하자 그나마 썰렁하지만 몇몇 집들이 보였다.

도계중은 작고 아담했다. 학교 규모에 비해 지나치게 넓은 운동장. 이 운동장에서 체육 수업을 할 아이들은 충분할까 하는 생각이 들었다. 서울에서 대학교까지 마친 도형사는 이렇게 작은 학교가 늘 부러웠다. 이렇게 작은 학교를 다니는 아이들은 서로 놀리는 일도 왕따를 당하는 일도 없지 않을까. 그런 막연한 동경이 있었다. 도형사가 다녔던 중학교는 학생은 넘쳤고 운동장은 작았다. 운동장을 가로질러 걷는데 맞은편으로 우체부가 걸어오고 있었다.

"교무실이 이쪽입니까?"

우체부는 자신이 걸어온 방향을 가리켰다.

김선생이 생활기록부를 뒤적이는 동안 도형사는 교무실을 둘러보고 있었다. 김선생의 취향인지 교무실은 이것저것 꾸며져 있었다. 한쪽 벽면엔 계곡에서 주워왔는지 수석이라고 하긴 뭐한 돌들이 사뭇 소중한 듯 잘 닦여져 있었고 커다란 유리병엔 마른 갈대도 한 다발 꽂혀있었다. 다소 산만하지만, 신경 쓴 구석이 역력했다. 김선생은 아마도 이곳에 꽤나 애착을 가지고 있구나 생각하며 시선을 돌리다가 창가의 화분에 눈이 머물렀다. 중간 크기의 화분엔 가느다란 나무가 자라고 있었다. 한쪽 가지에는 노란 꽃이 다른 가지에는 흰 꽃이 피어 있었다. 꽃은 색깔뿐만 아니라 모양도 전혀 달랐다. 도형사는 눈을 한번 쓱 비볐다. 조환가? 노란 꽃과 흰 꽃이 한 나무에 피어 있는 것이 분명했다. 저런 나무도 있었다니 생각하며 고개를 갸우뚱하는데 김선생이 인기척을 내며 들어왔다.

"학생 이름을 몰라서 한참 걸리네요. 학부모님 성함이 정성일, 차순영씨 맞죠?"

"네. 번거롭게 해드려 죄송합니다."

"아닙니다. 마침 봄방학이라 한가하거든요. 뭐 방학이 아니어도 바쁠 일은 없지만요. 아... 여기 있네요. 부 정성일, 모 차순영. 학생 이름은 정수철이네요. 8년 전에 정수철 학생이 이 학교에 다녔네요."

"정수철이면 남자입니까?"

"네. 그런데 1학년 때 자퇴를 했어요. 졸업 기록은 없습니다."

"확실히 남자 맞습니까? 그 부모에 대해서 혹시 기억나는 것 있으십니까?"

"네 여기 사진 보세요."

김선생이 내민 생활 기록부에는 중학교 1학년 앳된 남자애 사진이 있었다.

"이때는 제가 여기 전근해 오기 전이라 저는 뭐 아

는 바가 없습니다. 기록부에 적힌 것밖에 말씀드릴 수가 없는데 그나마 1학년 때 자퇴라 별 도움이 못 되겠네요. 당시 여기 계셨던 선생님도 4년 전에 학교를 그만두시고 후임으로 제가 온 거거든요."

"제가 좀 더 찾아봐도 되겠습니까?"

"네 그러세요."

담임선생 최형우, 도형사는 같은 반이던 아이들의 이름과 주소를 메모했다. 8년 전이면 2007년, 도형사가 삼척 서에 왔을 때였다. 그때도 꼭 이맘때쯤으로 낯선 삼척 거리를 두리번거리며 삼척 서로 향했던 기억이 있다. 하지만 근무할 곳이 삼척 서도 아닌, 거기서부터 한 시간이나 떨어진 지구대라는 것을 알고 한숨을 내쉬었었다. 교무실을 나서며 도형사는 물었다.

"저 꽃은 조홥니까?"

"아니요. 진짜 꽃이에요. 신기하죠?"

도형사는 가까이 다가가서 다시 살펴봤다. 진짜 꽃이다.

"전에 계시던 최형우 선생님이 선물 받은 거라고

하셔서 그냥 됐어요. 한 해 지나면 죽을 줄 알았는데 계속 살아 있네요."

도형사가 학교를 나와 도계 읍내 버스 정류소에서 삼척 시내로 나가는 마지막 버스를 기다리고 있을 때는 이미 해가 어둑어둑해진 뒤였다. 그러고 보니 종일 밥도 먹지 못했다. 갑자기 밀려온 허기에 구역질이 날 지경이었다. 버스 시간까지는 30분 정도 시간이 있었다. 버스 정류소 맞은 편에 허름한 국수집이 보였다. 저 집이라면 행여 버스를 놓치는 일은 없겠지.

가게 문을 열고 들어가자 구석방에 누워 있던 여자가 끄응 하며 몸을 일으켰다.

"국수 드려요?"

꽤나 젊은 여자 주인이었다. 주방 모자를 눌러쓴 모양새가 무딘 인상을 풍기긴 했지만 슬쩍 보아도 미인형이라는 것을 알 수 있었다. 도형사는 대답하고 자리에 앉았다. 실내는 국수 삶는 열기로 따뜻했다. 갑자기 긴장이 확 풀렸다. 가게를 미처 다 둘러 보기도 전에 국수 가게 주인이 김이 오르는 국수를 도형사 앞에 내려놓았다. 탁 내려놓는 탁자 소리에 주인이 다소 무뚝뚝한 성격이라는 것을 알 수 있었다. 그럼에도 불구하고 옆눈길로 슬쩍 본 주인은 매력적이었다. 비릿하고 쓴 멸치 내장의 냄새가 먼저 들어 왔지만, 맛은 있었다. 배고픔은 사람의 취향을 없애버린다.

마을 사람들인 것 같은 남자 몇이 들어와 자리를 잡았다. 낯선 도형사를 흘끔거리며 쳐다보지만 별다른 적의를 보이거나 하진 않았다. 그들은 오히려 미모의 주인에게 눈길이 더 가 있었지만 무뚝뚝한 주인의 태도 탓인지 아무도 감히 눈길조차 제대로 주지 못했다. 마을 남자들은 막걸리와 양미리 구이를 시켰다. 좁은 실내에 금세 양미리 굽는 냄새가 번져나갔다. 도형사는 국수를 먹고 있으면서도 양미리 구이를 시킬까 하는 생각에 빠졌다. 알이 가득 밴 양미리 구이는 참 맛이 있지.

“저도 양미리 하나 주세요.”

도형사는 참지 못하고 말했다. 마을 사내들이 ‘어

라' 도형사를 흘끔 쳐다봤다. 겨울 양미리의 맛을 알게 된 건 도형사가 삼척에 전근 오고 나서부터다. 서울에 있을 때는 몰랐던 맛이다. 연탄불에 구워 먹는 알이 밴 양미리를 간장에 살짝 찍어 머리부터 와그작 와그작 씹어 먹으면 고소하고 담백한 맛이 일품이다. 요즘은 연탄불에 구워주는 집이 드문데 이 집은 아직 시골이라 그런지 연탄불에 구워준다. 석쇠 위에 올려진 꾸덕한 양미리 모양새가 벌써 군침을 돋운다.

"형씨는 어디서 오셨소?"

마을 사내 중 한 명이 도형사를 향해 물었다.

"삼척에서 왔습니다."
"왜요?"

삼척 시내에서보다 더 진한 사투리다.

"그냥 구경삼아 왔습니다."
"그러니까. 딱 봐도 도계 사람 아니래."
"차 시간 기다리다가 출출해서 국수 한 그릇 먹으러 왔습니다."

“말도 곱고 행색도 고운기”
“여기선 누가 저런 돕바를 입나?”
“문디 저게 바바리라는 거다. 돕바가 아이라”
“돕바는 다 돕바지. 두꺼운 돕바, 얇은 돕바, 짧은 돕바, 긴 돕바”

사내들은 저들끼리 떠들다 으하하 웃음을 터트렸다. 아마도 새로운 도형사의 존재를 안주 삼고 싶었는지도 모르겠다.

“여기엔 몇 집이나 살고 있습니까?”
“한 80 집은 안 되겠나”
“니기. 빈 집까지 칠라고?”
“한 50집 될 겁니다.”
“왜요? 여기와 살라고요?”
“하하하 그럼 좋지요.”
“예전에는 여기 사람 많았습니다. 한 200집 넘었지요. 학교도 다 있고 식당도 많고 버스도 지금보다 훨씬 많이 다녔다 아닙니까. 근데 지금은 다 떠나고 썰렁합니다.”
“시에서 관광지 개발한다 하든데. 그럼 또 모르지”
“아이고 자슥 그걸 믿나?”

"왜? 이 양반도 지금 구경 왔다 안하나?"
"시에서 그런 계획이 있는데 학교를 없애겠나?"

아까 김선생은 아무 말 없었다. 하긴 그걸 꼭 말해야 할 이유는 없었으니까.

"여기에 정성일이라는 분이 살았죠?"

순간, 술기운이 살짝 돌던 분위기가 얼어붙는 느낌이 들었다. 너무나 순간적이었지만 도형사는 분명히 이 마을 남자들이 무언가 알고 있다는 생각이 들었다. 그리고 그것을 말하지 않을 거라는 것. 이들 사이엔 뭔가 금기 같은 것이 있었다. 알고 있지만 절대 말하면 안 되는 것. 그것을 도형사가 깨버렸다는 느낌이 들었다. 그 금기란 것은 아마도 '정성일'혹은 '차순영'과 관계가 있을 것이다.
누군가 짧디 짧은 침묵을 깨트렸다.

"여기 도계중학교 없앤다는 말이 돕니다. 하긴 학생수가 없지만서도 그래도 학교 없애면 남아 있는 아들은 삼척까지 다녀야 된다 아닙니까. 왕복 4시간이라 4시간"

“그럼 김선생은 어찌 되는 건가?”

“니는 선생님이 걱정이가. 한번 선생은 영원한 선생이니까 니는 아무 걱정할 필요 없다. 내는 니가 더 걱정인기라.”

“내가 왜? 내는 잘 살고 있는데 니가 왜 나를 걱정하는데?”

사내들의 언성이 조금씩 높아지고 다른 사내가 그들의 싸움을 말렸다. 그 사이 어느 사내가 도형사의 술잔에 막걸리를 가득 따라 주었다. 막걸리가 몇 순번이나 돌고, 몇 번의 언성이 높아지고, 다른 손님이 차가운 바람을 몰고 가게로 들어오는 사이 도형사는 마을 사내들이 막무가내로 따라주는 막걸리를 몇 잔이나 들이켰다. 종일 낯선 시간 속을 돌아다닌 도형사는 피곤함과 막걸리에 취해 그만 막차 시간을 놓치고 말았다.

캄캄한 버스 정류소에서 오돌오돌 떨고 있는 도형사 앞으로 택시 한 대가 섰다.

“콜 부르셨어요?”

택시를 타고 돌아오면서 도형사는 술기운인지 뭔지 모를 몽롱한 기분에 빠졌다. 피범벅된 여학생의 교복은 누구 것일까. 뱃일을 하는 남자와 몸싸움을 벌일 정도의 힘이 센 여학생이 범인인 것일까. 하지만 교복의 사이즈로 보아 여학생의 체구는 그러기엔 너무나 작다. 길이 요동칠 때마다 속이 울렁거렸다. 어금니를 꽉 깨문다. 이 길을 다시 와야 할 것을 알기에. 피곤함과 술기운에 자꾸 몸이 가라앉았다. 커다란 뱀이 온몸을 휘감고 천천히 조이는 느낌이었다. 그런데도 눈을 뜨거나 달아나거나 소리를 지를 수가 없었다. 무서운데도 불구하고, 묘한 쾌감 같은 것이 움직일 수 없게 만들어 뱀의 또아리 안쪽으로 깊숙이 빨려 들어가는 느낌. 누군가의 눈빛이 순간 떠올랐다가 사라졌지만 너무 빠르고 흐릿해 잡을 수 없었다. 이러다 뱀의 차갑고 부드러운 피부 속으로 흡수될지도 모르겠다 생각하고 있는데 퍼뜩 눈이 뜨인다.

"다 왔다고요."

택시기사가 몸을 뒤로 쭉 빼고 도형사를 바라보고 있다. 택시기사의 표정을 보아하니 한참을 흔들어 깨웠나보다.

택시에서 내리자 뱀의 피부 같은 차갑고 습한 바닷바람이 느껴졌다. 이러다 흡수될지도 모르겠다. 중얼거리며 도형사는 현관문을 열자마자 쓰러지듯 침대에 고꾸라졌다.

3.

지훈은 용산 도서관의 사서다. 책을 좋아해 본 적은 없지만, 사람보다는 책을 좋아하는 것이 확실했기에 그에게 딱 맞는 직업이었다. 지훈이 상대해야 할 사람들은 대부분 말이 많지 않았다. 아니 오히려 말이 없다는 편이 옳았다. 빌리고 싶은 책을 지훈에게 내밀면 지훈은 스캔해서 전산 입력을 한 뒤 다시 대출자 앞으로 책을 밀어주기만 하면 끝이었다. 흔해 빠진 인사 따위도 건네지 않아도 된다. 지훈은 퇴근 시간이 되면 조용히 자리에서 일어나 자리를 정리하고 가방을 들고 나갔다. 옆에 앉은 사람에게 수고하셨다는 둥 내일 보자는 둥의 말도 하지 않았다. 아무도 지훈의 그런 행동에 신경 쓰지 않았다. 그래서 좋았다.

용산 도서관 앞에서 402번 버스를 타고 집으로 향

한다. 8시 출근, 5시 퇴근. 한 번도 늦게 출근한 적도 늦게 퇴근한 적도 없다. 퇴근해서 집으로 돌아간 뒤에는 아무 곳에도 나가지 않았다. 동네 사람들은 그를 굉장히 건실한 청년이라고 생각했을지도 모르지만, 사실 지훈은 경미한 히키코모리였다. 자신이 감당할 수 있는 최소한의 생활만으로 살아가는 것이다.

지훈의 옆집은 매일 똑같은 시각에 현관문이 열리는 소리를 들었고 똑같은 시각에 다시 집에 돌아와 현관문을 여는 소리를 들었다. 주말을 제외하곤 예외가 없었다. 매일 집에 돌아오는 길목에 있는 슈퍼에 들러 간단한 먹을거리를 샀다. 늘 똑같은 메뉴였다. 크림빵과 우유, 라면 하나. 떠먹는 요거트 하나. 매일 너무나 같은 것만 먹어서 건강이 걱정된 가게 주인이 어느 날 바나나를 하나 건넸지만, 지훈은 괜찮다고 정중하게 거절했다. 과일 따위는 먹지 않는다. 음식은 건강을 위해 먹는 것이 아니다. 그저 배가 고픈 순간만 지나면 그런 것은 아무렇지도 않았다. 지훈은 배고픈 순간을 모면하기 위해 크림빵을 구겨 넣었다. 매일 같은 티비 채널을 보면서 크림빵과 우유를 먹었다. 잠들 때까지 티비를 멍하니 보다가 잠이 들었다. 단 하루도 다른 날이란 것은 없었다.

도서관에서도 마찬가지였다. 단 하루도 틀린 날이 없었다. 간혹 대출자의 실수나 이런저런 이유로 책이 분실되는 일이 있다. 이런 경우에는 일이 다소 복잡해진다. 분실 서류를 작성해야 하고 대출자에게 분실 책의 대금을 물어야 하는데 어떤 사람들은 본인의 실수가 아니라며 책값을 내길 거부하며 언성을 높이곤 한다. 그럴 때면 지훈은 모든 것을 뒤엎어 버리고 싶은 강렬한 충동에 빠졌다. 책상 위에 있는 모든 책을 집어 던지고 이 조용한 공간의 침묵을 깨버리는 비명을 지르고 싶었다. 그런 충동을 억누르느라 지훈은 볼펜 끝으로 손톱 끝을 콕콕콕콕 찔러댄다. 지훈이 그럴 때면 맞은편에서 책값을 못 내겠다고 윽박지르던 사람은 의아한 표정이 되었다가 조금 겁을 집어먹고는 물러서거나 오히려 더 화를 내곤 했다. 만약 더 화를 낸다면 이주임이 달려와야만 했다. 하지만 대부분의 경우에 대출자들은 자신들의 잘못을 인정하고 순순히 책값을 지불했다.

이곳에 15년을 근무한 이주임은 지훈을 오래 봐왔지만 지금까지 단 한번의 위험스런 순간을 제외하고는 이런 일은 실제로 일어나지 않았다. 주위의 동료가 재빠르게 나서 주었기 때문이다. 동료 근무자들 모두 이런 일이 벌어진다면 바로 이주임에게 알리고 적극적으로 상황에 대처해 지훈과 대출자 모두 곤란에 빠트리는 상황을 막아야 한다는 것을 알고 있었다. 지훈은 알고 있지 못했지만, 도서관의 직원들 모두가 침묵으로 지훈을 배려해주고 있었다. 직원들의 그런 식의 배려가 없었다면 지훈은 아무리 성실하다고 하더라도 이곳에서 오래 일할 수 없었을 것이다.

도서관엔 별별 사람들이 다 있었고 지훈은 딱히 그 사람들에 대해 관심을 기울이지 않았다. 별별 사람들이라 해도 주로 몇 가지 부류로 구분되었다. 학생이거나, 직장을 잃은 중년 남자거나, 낮 시간에 아기들의 책을 보러 아기와 함께 오는 엄마들이거나, 시간은 많지만 딱히 갈 곳이 없는 노인이거나, 취업준비를 하는 가난한 취업준비생들이거나. 대부분 이들 중 하나였다.

그러던 어느 날 전혀 새로운 생명체가 나타났다. 나이는 20대로 짐작되지만, 초반인지 중반인지 후반인지 가늠할 수 없었다. 그건 아마도 그녀의 옷이나 기이한 스타일 때문인 것 같았다. 옷은 식당에서 일하는 아줌마들이 함부로 일할 때 입을 법한 꽃무늬 바지와 분홍색과 파란색 줄무늬가 그려진 티셔츠를 입고 신발은 초등학생들이 실내화로 신을법한 하얀 운동화를 신고 있었다. 하얗다 못해 파래 보이는 얼굴과 조금 찢어진 눈은 한 번도 책에서 시선을 떼어내 어딘가를 바라보는 법이 없었다. 아침에 앉아 지훈의 퇴근 시간을 넘기도록 종일 책을 봤다. 화장실 갈 때를 제외하고는 자리를 비우는 법도 없었다. 그녀가 읽는 책들은 그야말로 대중이 없었다. 처음엔 어린이들이 읽을 법한 동화책에서부터 백과사전까지 분야를 가리지 않았다. 그녀는 사람이라기보다는 오히려 폐교가 되어버린 초등학교 운동장에 종종 있는 책 읽는 소녀상 같은 느낌을 주었다. 몸은 소녀인데 아주 많은 것을 보아온 나이 많은 소녀. 만나본 적 없지만 알고 있는 소녀, 그런 소녀가 있다면 그녀였다. 그녀는 누구와도 이야기를 나눈 적 없고 책을 빌려간 적도 없으며 시선을 마주친 적도 없었다. 그녀는 지훈이 눈 마주칠 걱정 없이 안심하고 바라볼 수 있는 유일한 사람이 되었다.

그녀가 다 읽은 책을 책꽂이에 다시 꽂아두기 위해 자리에서 일어섰다. 지훈은 그녀가 다시 나타나길 기다리며 때마침 지훈 앞에 선 사람이 늘어놓은 책의

바코드를 찍어댔다. 대출자가 지훈의 시야에서 사라졌을 때 한 할머니가 영선의 자리에 앉아 있었다. 그 할머니는 지훈뿐만 아니라 도서관에 일하는 모든 사람이 다 아는 얼굴이었다. 할머니가 가끔 이 도서관에 나타나는 이유는 책을 읽으려는 것이 아니라 할아버지들을 만나기 위해서였다. 그 할머니는 깔끔하게 머리를 빗고 있기는 했지만 때가 꼬질꼬질한 오래된 옷을 입고 있었고 책상에 앉자마자 책을 쌓아두고 잠을 잤다. 때론 코를 심하게 골아 깨운 적도 있다. 이 할머니는 도서관에 하릴없는 할아버지들이 오는 것을 알고 그들과 만나 데이트를 하며 밥을 얻어먹거나 방을 얻어 하룻밤 자거나 하는 것이 목적이었다. 적당한 데이트 할아버지를 만나지 못한 다음 날이면 피곤한 몸을 도서관 책상에 엎드려 잠을 자는 것이었다. 오늘도 바로 그런 날인지 할머니는 하필 영선의 자리에 앉자마자 엎드려 자기 시작했다. 그 모습을 보고 있는 지훈은 마음이 조마조마했다. 왠지 영화의 다음 장면을 짐작이라도 하는 것처럼 지훈은 이제 일어날 일을 이미 알 것만 같았다. 아니나 다를까 곧 영선이 새로운 책을 들고 자리로 돌아와 자기 자리-라고 하는 것도 사실은 말이 안 되지만-에서 자고있는 할머니를 봤다. 지훈은 저도 모르게 온몸에 힘이 들어갔다.

대출실 실내는 조용했고 이따금 책장 넘기는 소리만 들리고 있었다. 그녀는 할머니가 앉은 자리가 자신의 자리인가를 확인이라도 하듯이 그 자리를 세 바퀴 정도 돌았다. 그리곤 자신의 자리라는 확신이 들었는지 할머니를 깨우기 시작했다.

"할머니, 할머니, 여기 제 자리예요."

할머니는 부스스 고개를 들어 그녀를 바라봤다. 그녀가 도서관 직원이 아님을 확인하자 할머니는 다시 고개를 묻고 잠을 청했다.

"할머니, 여기 제 자리예요."

다시 할머니는 천천히 고개를 들어 눌린 목소리로 말했다.

"미친 년아 그럼 니가 옆자리에 앉아. 내가 니 자리에서 자야겠으니까."

다시 엎드리는 할머니의 옆에 선 그녀는 한참을 손톱을 물어뜯으며 어찌할 바를 모르고 서 있었다. 그러더니 갑자기 할머니의 머리채를 확 잡아채 할머니를 바닥으로 고꾸라뜨렸다. 너무나 순식간에 일어난 일이라 지훈도 그 자리에 얼어붙어 버렸다. 이건 마치 죽은 줄 알았던 파리지옥 식물이 갑자기 파리를 사냥하는 것과 같은 모양새였다. 갑자기 바닥에 나뒹군 할머니는 놀라, 어 하다가 사람들이 이쪽으로 시선을 향하고 있음을 느끼자 서러운 울음을 터트렸다. 그러나 할머니가 울거나 말거나 그녀는 빈 자신의 자리에 앉아 책을 펼쳤다. 순식간에 아수라장이 된 대출실로 직원들이 달려와 할머니를 일으키고 할머니는 더 서러운 듯 울었다.

"저 미친 여자 좀 봐요. 내 머리채를 잡아서 바닥에 내팽개치고 내가 뭘 잘못했다고 나한테 이러는 거예요. 이봐요 다 배운 사람들이니 내 말 무슨 말인지 알잖아요. 내가 배우진 못했어도 교양은 있는 사람인데 내가 어디 가서 이런 취급을 당한 적은 한 번도 없는데 이게 도대체 어떻게 된 일이에요"

할머니는 빠르게 달려온 이주임의 부축을 받으며

밖으로 나갔다. 그러나 그 와중에도 그녀는 그 자리에 앉아 책만 들여다보고 있었다. 그녀의 머리 뒤로 태양이 눈이 멀도록 빛나고 있었다. 대출실 내의 사람들의 곱지 않은 시선이 그녀를 향해 있었지만, 그녀는 전혀 개의치 않았다. 개의치 않는다기보다는 그런 시선이 있다는 것도 알지 못하는 것 같았다. 독보적으로 독립적인 모습이었다.

지훈이 퇴근 시간에 도서관을 나설 때 도서관 벤치에서 자판기 커피를 마시고 있는 아까 그 할머니와 어떤 할아버지를 봤다. 그 할아버지는 고개를 끄덕이며 연신 눈물을 찍어내며 이야기를 하는 할머니의 어깨를 다독이고 있었다. 할머니의 오늘 밤은 해결되었다. 문득 지훈의 머릿속에 그녀는 어디에서 잘까 하는 의문이 떠올랐다. 이 도서관을 나서면 그녀는 어디로 갈까. 저 할아버지를 만나지 못한 저 할머니처럼 밤새 어두운 거리를 끊임없이 걷다가 지쳐, 해가 뜨자마자 도서관으로 나오는 것은 아닐까. 그곳에서야 더이상 걸을 수조차 없이 지친 다리를 쉬게 하는 것은 아닐까 하는 생각이 들었다.

만약 그녀가 지훈을 찾지 않는다면 지훈이 그녀를

찾아야 하는 걸까.

4.

늦은 밤, 지훈은 이불을 턱 끝까지 당긴 채 눈을 끔벅이며 오늘 하루를 곱씹어보았다.

도서관 일이 끝난 후 지훈은 버스 정류장에 앉아 402번 버스를 여러 대 보냈다. 좀처럼 발이 떨어지지 않았다. 그녀가 도서관을 나서는 모습을 보곤 저도 모르게 일어나 그녀의 뒤를 따라갔다. 몇 걸음 걷던 지훈은 그 자리에 주저앉아 버렸다. 평소의 일과를 벗어난 일에 근육과 뇌가 모두 놀라 동작을 멈춘 것이다. 지훈은 겨우 다시 용산 도서관 버스정류장으로 돌아왔다. 익숙한 장소로 돌아왔다고 해서 끝난 것이 아니었다. 이 시간대는 이 장소에 낯선 시간대였다. 평소 이 시각이라면 지훈은 이미 집에 도착해 있어야 했다. 크림빵 비닐봉지를 찢고 한 입 베어 물 시각. 어금니 사이로 크림들이 툭 퍼지는 느낌이 들었다. 지훈은 저도 모르게 입을 우물우물거렸다. 그러다 악 소리를 질렀다. 살을 깨물었다. 입안에는 크림 맛 대신 피 맛이 번졌다. 너무나 분명하다. 오늘은 어제와 확실히 다르다.

지훈이 바나나를 계산대에 내려놓자 슈퍼 아저씨는 어리둥절한 표정으로 지훈과 바나나를 번갈아 바라봤다.

"바나나 사려고?"

지훈은 고개를 끄덕였다.

"먹으려고?"

지훈은 얼른 계산을 하고 슈퍼 아저씨의 호기심 어린 시선에서 벗어났다. 바나나는 어떤 맛이었더라. 지훈은 평소와는 다른 비닐봉투의 무게를 느끼면서 생각했다.

매일 조금씩, 지훈은 더 오래 그녀를 따라갔다. 아주 조금씩이어서 이러다 언제 그녀가 밤마다 어디로 가는지 알 수 있을까 싶기도 했지만, 지훈은 서두르지 않았다.

5.

도형사는 하루 종일 서류들을 뒤지러 다니느라 코 끝에서 종이 냄새가 나는 것만 같았다. 피해자 정씨 부부가 살았던 도계리의 주민센터와 살해당한 장소인 삼척 추계리의 주민센터, 보험회사까지 뒤지고 다닌 통에 서로 돌아오자마자 파김치가 되어서 의자에 주저앉았다.

-2007년 정씨 부부는 도계리에서 당시 중학교 1학년 아들 정수철과 함께 거주.
-2007년 9월 정수철 중학교 자퇴
-2008년 2월 정씨부부 생명보험가입. 수령인 정수철
-2011년 삼척 추계리로 이주. 그러나 동사무소에 전입신고는 하지 않음. 주변인들 모두 아들 정수철의 존재를 모름.

보험료는 지난 8년간 꼬박꼬박 납입되었고 사건 발생 한 달 전에 만기가 되었다. 정수철은 아직 살아있다고 도형사는 확신했다. 게다가 보험료는 가난한 부부가 납입하기엔 너무나 큰돈이다.

정씨의 수입 140만원 내외
차씨의 수입 110만원

정씨 부부의 수입은 한 달에 250만원 내외.
이 중에서 나가는 돈은

보험료 2인 140만원
월세 15만원(공과금 포함)
휴대폰 2인 3만원

기본적으로 나가는 돈은 매달 158만원.
나머지 92만원은 어디로 갔을까. 이 돈도 정수철에게로 갔을까?

도형사는 은행을 놓쳤구나 싶은 생각에 벌떡 일어나 은행으로 달려간다.

"이거 통장 거래 내역 좀 뽑아주세요."

도형사의 협조 영장을 보고선 은행직원은 조금 겁을 먹은 표정으로 도형사와 눈도 마주치지 않았다. 은행 직원이 내민 정성일의 거래 내역은 거의 전무했고, 차순영의 거래 내역만이 있었다. 부부는 아마도 아내가 돈 관리를 맡아서 한 듯하다.

최형우 80만원

매달 15일 80만원씩 최형우라는 사람에게로 송금되었다. 무려 8년 동안.

첫 송금은 2007년 9월 15일.

마지막 송금은 2015년 3월 15일.

정씨 부부가 살해당한 날은 4월 20일 새벽이므로 송금이 끊긴 지 35일 만에 살해당한 것이다. 8년 전에 어떤 일이 일어났고 그것에 대한 대가나 보상으로 돈이 지급되어 온 것이 틀림없다. 이것은 돈과 관련된 문제다. 단지 맘에 걸리는 것은 80만원이라는 금액이 어떤 범죄의 대가라고 하기엔 너무 적은 금액이라는 것이다.

'잠깐만. 2007년 9월?' 도형사는 아까 정리해 두었던 연대기를 꺼내 펼쳐본다. 2007년 9월은 정수철이 자퇴한 때다. 정수철이 자퇴했던 때부터 최형우라는 사람에게로 매달 80만원씩 송금이 시작됐다.

그런데 최형우. 어디선 본 듯한 이름인데 라고 생각했다. 도형사는 쪽지를 넘겨본다. 최형우. 당시 정수철의 담임선생님이다.

처음부터 도형사는 정씨 부부가 무언가를 숨기고 있을 거란 생각이 들었다. 아들 정수철을 숨기고 있단 사실이 드러났을 때, 정수철의 존속살해가 아닐까 하는 의심도 했었지만 사실 아직까진 정수철은 어디에도 존재하지 않는 사람이다. 사건 현장에도 부부 이외의 생활의 흔적은 남아 있지 않았다. 심지어 수저도 부부용 두 벌 이외에 그 흔한 플라스틱 수저 하나 여분이 없었다.

도형사는 정수철의 자퇴와 최형우 선생이라는 사람이 어떤 관계가 있을 것이라고 생각했다. 정수철과 최형우 사이에 어떤 일이 있었던 걸까? 정씨 부부는 최형우라는 사람에게서 협박을 당하고 있었던 것일까? 왜? 아들의 담임선생님에게 협박을 당하며 8년간이나 돈을 보낸 이유는 무엇일까? 질문이 꼬리에 꼬리를 물고 일어났다. 아니, 아들의 담임 선생님이 학부모를 협박할 이유는 또 무엇이란 말인가? 아무리 세상이 험하다 하더라도 그건 말도 안되는 일이라고 도형사는 고개를 저었다.

어쨌거나 정씨부부는 쉬는 날 없이 한 달 내내 고된 노동을 해서 번 돈으로 이것저것 다 내고 자기들 손에 떨어진 돈은 겨우 12만원이었다. 12만원으로 부부는 생활을 꾸려 나갔던 것이다. 도형사는 은행 앞에 멀거니 서서 담배를 피웠다. 여분 없는 삶. 도대체 정씨 부부는 무엇 때문에 살았던 것일까. 번 돈의 거의 전부를 다른 사람에게 보내고 부부는 무슨 기운으로 살아왔을까. 그것을 지탱해 주는 것은 무엇이었을까. 도형사는 상상할 수 없었다.

그때 지나가던 순찰차가 서더니 김순경이 창문 밖으로 고개를 쑥 내밀었다.

"도형사님!"

뒤늦게 김순경을 발견한 도형사는 그를 향해 고개를 끄덕여 인사를 건넸다.

"여기서 뭐 하세요?"
"은행에 뭣 좀 알아보러."

"타세요. 서에 들어가는 길이시죠?"

김순경은 늘 기운차고 밝았다. 심지어 살인 사건이 일어난 와중에도.

"아까 서에 돌아오신 것 같아서 가봤더니 금세 나가셨더라고요. 뭣 좀 알아내셨어요?"

도형사가 타자마자 김순경은 궁금해서 못 참겠다는 듯이 물었다.

"뭐가 그렇게 궁금해?"
"궁금하죠. 제가 경찰관이 되고 나서 처음 일어난 사건이니까요. 누가 죽였는지 왜 죽였는지 다 궁금하죠."
"아직은 뭐 말할 게 없어."

도형사는 입을 다물었다. 김순경은 그런 도형사의 옆모습을 흘끔거렸다.

"제가 괜한 걸 여쭤봐서 죄송합니다"
"아냐. 그냥 내 머릿속이 좀 복잡해서 그래."

"네. 죄송합니다."

김순경이 좌석 아래로 미끄러진 엉덩이를 추켜올리며 긴장하는 모습을 보자 너무 매몰차게 끊어낸 것이 미안해졌다. 언젠가 형사가 되고 싶다면서 살근살근하게 이것저것 물어보던 김순경의 모습이 떠올랐다.

"피해자 정씨 부부에게 아들이 있었다는데 어느 날 갑자기 사라져버렸어."

"아들이요? 부부뿐이었잖습니까."

"그런데 4년 전 부부가 살았던 도계리에서는 아들이 있었어. 자네가 알아본 교복 말이야. 그 도계중에 갔더니 정성일 아들이 8년 전에 그 학교에 다니다가 1학년 때 자퇴를 했데. 교복을 보고 딸인 줄 알았더니 아들이었어."

"음. 그럼 그 아들은 저랑 동갑이네요. 8년 전에 중1이면요."

"그래?"

도형사는 새삼 김순경이 앳되게 느껴졌다.

"김순경은 삼척 출신이랬지? 어느 중학교 나왔어?"

"전 삼척중이요. 오십천 구비 마다 태백의 정기 서리고~ "

"중학교 교가를 아직 기억하고 있어?"

"그럼요. 도형사님은 기억 안 나세요?"

도형사는 고개를 갸웃했다. 또 새삼 자신이 나이가 든 건가 하는 생각이 들었다.

"기억 안 나는데……."

"이래 봬도 삼척중은 삼척에서 명문입니다. 하하하하"

"학교에 대한 자부심이 높네."

"뭐 학교가 몇 개 없고 동네 사람들끼리 다 얘기하잖아요. 그 집 아들은 강릉으로 학교 갔데, 삼척고 갔데. 공부 잘해서 좋겠네 뭐 그런 얘길 늘 듣다보니까 그런가봐요. 서울에 비하면 댈 것도 아닌데 말입니다."

"서울이라고 뭐 별건가. 나도 변두리 출신이어서"

"그래도 서울은 서울 아닙니까. 저 학교 다닐 때 서울에서 전학생 안 오나 손꼽아 기다렸습니다. 근데 중학교 3년 내내 한 명도 안 왔어요. 소설 소나기 있잖습니까. 거기 나오는 것처럼 서울에서 여학생이 전학 오면 어떨까 온갖 상상을 다 해봤어요."

도형사는 얼굴 하얀 서울에서 온 소녀와의 소설 같은 풋사랑을 꿈꿨던 김순경의 학창 시절의 순수함이 부러웠다. 도형사의 학창 시절은 기억해낼 만한 것이 없었다. 도형사는 학교와 학원과 독서실만 오갔다. 그럼에도 8학군이 아니라 변두리 출신이라는 박탈감에 늘 시달려야 했다. 서울의 8학군과 자신이 속한 방화동 사이의 간극은 영원히 메울 수 없다는 생각으로 억울해했었던 기억이 있다. 그 때문인지 여학생을 만나 가슴 설레었던 기억도 없다. 친구들은 여자아이들과 술도 마시고 어울렸던 탓에 도형사는 선천적으로 감정이 좀 무딘 사람이 아닌가 하는 생각이 들기도 했다. 그가 만약 이런 소도시에서 학창시절을 보냈다면 뭔가 달랐을까?

"아! 전학생이 있었어요."

김순경은 들떠서 소리쳤다.

"서울에서?"
"아뇨. 도계리에서요. 도계중에서 저희 반으로 전학

온 애가 있었어요. 그 친구 아직 삼척에 살고 있을 거예요. 맞아. 신주리! 결혼했다고 그랬나?"

도형사와 김순경은 서로 눈을 마주쳤다. 도형사는 김순경의 눈이 평소와 다르게 반짝이는 것을 보았다. 아마도 김순경과 도형사는 같은 생각을 하고 있을 것이다. 그 전학생은 정수철을 기억하고 있을 거라는 것. 도계리 사람들이 도형사에게 말하지 않는 것들을 어쩌면 말해줄 수 있을지도 모른다는 생각에 도형사는 두근거렸다.

6.

김순경은 도계중학교에서 전학 왔다는 여학생의 소재를 어렵지 않게 알아냈다. 그 여학생은 이미 결혼을 해서 삼척 시내에서 살고 있다고 했다.

김순경과 함께 '신주리'를 만나러 갔다. 신주리의 첫인상은 밝았다. 동그란 얼굴에 서글서글한 인상으로 사람을 대하는 것에도 격이 없이 편해 보였다. 그 때문인지 조금 나이 들어 보이기도 했다. 처음 본 도형사에게도 밝게 웃으며 인사를 건넸고 김순경을 보자 손을 맞잡으며 반가워했다. 그런 모습에 도형사는 조사를 나온 것이 아니라 이들의 오랜만의 해후에 괜히 끼어든 것 같은 느낌이 들어 머쓱해졌다. 신주리는 도형사와 김순경 앞으로 캔 식혜 음료를 내오며 집에 마침 커피가 떨어졌다며 미안해했다.

"남편이 러시아 사람인데 한국 식혜를 좋아해."
"러시아? 러시아 사람을 어떻게 만났어?"
"몰라. 어떻게 만나게 됐어."

신주리의 얼굴이 조금 붉어졌다.
"지금은 러시아에 가 있어. 한 달 후에 돌아와."

도형사는 신주리와 김순경의 말을 끊으며 단도직입적으로 물었다.

"도계중학교의 정수철을 아세요?"
"당연히 기억나죠. 정수철."
"아 잘됐군요. 정수철이 1학년 때 자퇴를 한 이유가 뭐였습니까?"
"자퇴를 한 지는 몰랐어요. 저는 수철이가 사고 나서 얼마 뒤에 전학 왔거든요."
"사고요?"

도형사가 놀라 되물었다.

"수철이가 산에 올라갔다가 떨어졌데요. 다행히 담임선생님이 발견하고 바로 병원으로 옮겼는데 많이 다쳤다고 들었어요."

"얼마나 심각했습니까?"

"모르겠어요. 선생님이 그냥 많이 다쳤다고 하셨어요. 수철이는 공부도 잘하고 또, 이런 말 뭐하지만, 시골 아이답지 않게 하얗고 잘생겼었거든요. 그래서 사고 났다는 소식 듣고 모두 다 놀라서 선생님 붙잡고 엉엉 울었던 기억이 나요. 정말 죽는 줄 알고 다들 병원으로 달려갔는데 병원 의사 선생님이 너무 냉정하게 못 본다고 그래서 돌아들 왔죠 뭐. 그 이후로는 못 봤어요."

"그럼 그 사고 이후로는 한 번도 정수철을 못 봤습니까? 집에서든 학교에서든?"

"네. 못 봤어요. 그 사고 나고 한 달 뒤에 제가 전학을 가게 됐거든요. 그래서 수철이를 한번 보고 가려고 집으로 찾아갔었는데 부모님이 수철이 상태가 많이 안 좋다고 그냥 가라고 하셨어요. 아마도 자퇴를 한 건 그 사고와 무슨 관련이 있지 않을까요?"

"왜 그렇게 생각하십니까?"

"그게 아니면 자퇴를 할 이유가 없으니까요. 학교 생활도 문제가 없었고, 친구들도 모두 수철이를 좋아했어요. 공부도 운동도 잘했어요. 못하는 게 없는 친구였는데 갑자기 자퇴를 했다고 하니까요."

도형사는 정성일과 차순영의 사진을 신주리에게 보여주었다. 신주리는 정수철의 부모님이 맞다는 확인을 해주었다.

"정수철이 있었다는 병원 이름 기억합니까?"

"작은 별 병원이요. 지금도 있는지는 모르겠지만 도계에 유일한 병원이라 모르는 사람이 없었어요. 모두 다 아프면 거기로 갔으니까요."

"산에서 떨어져서 크게 다쳤다면서 큰 병원으로 안 갔습니까?"

"글쎄요... 그냥 아프면 작은 별 병원이니까... 그런 생각은 안 해 봤어요. 어렸을 때 이빨이 흔들리는데 뽑기가 너무 무서운 거예요. 그래서 엄마가 병원 가자고 하면서 반짝반짝 작은 별 아름답게 비치네 하는 노래를 불러줬어요. 병원에 갔더니 의사선생님이 사탕을 쥐어 주는 사이 눈 깜짝할 새에 이빨이 뽑혀서 어리둥절했었던 기억이 나요. 어느 집에서 반짝반짝 작은 별 노래가 들리면 아 누가 병원 가는구나 했어요."

"그 동네 귀엽다."

듣고 있던 김순경이 감탄한 듯 말했다.

"진료과목 같은 거 없어?"

"지금 생각하면 이상하긴 한데 병원이 하나니까 그냥 우리한텐 종합병원 같은 거였어. 치과 치료도 하고 팔 부러져도 가고 감기 걸려도 가고 뭐 그런… "

김순경은 그 이야길 들으며 아이처럼 크게 웃으며 재밌어했다.

신주리가 말하는 정겨웠다는 분위기와 함께 도형사가 처음 도계리에 간 날이 떠올랐다. 마을 남자들은 도형사에게 뭔가를 말하지 않고 있었다. 그들 사이에 뭔가 의도적으로 숨기는 것이 있었다. 외지인을 밀어내는 무언의 압력. 도형사가 그날 술에 그렇게 취한 것은 피곤한 탓도 있지만, 그 압력을 못 견뎠기 때문이기도 하다는 생각이 들었다.

만약 신주리와 함께 도계리에 간다면 마을 사람들은 달라질까? 하는 생각을 하는 사이 김순경과 신주리는 오랜만에 만난 동창들끼리 이런저런 추억의 대화를 주고받고 있었다. 신주리는 조잘조잘 말했고 김순경은 아하 하며 고개를 끄덕였다. 도형사는 들쩍지근한 식혜를 한 모금 입안에 머금었다 삼켰다. 씁쓸한 커피 생각이 간절했다.

"근데... 수철이한테 무슨 일이 있어?"

신주리는 조심스럽게 김순경에게 물었다. 김순경은 대답 대신 도형사의 눈치를 살폈다. 도형사가 대답했다.

"우리도 정수철을 찾고 있습니다."

"형사님이 왜 수철이를 찾아요?"

"정수철 부모님이 살해당했습니다."

신주리는 놀라 자신이 잘못한 양 눈을 내리깔았다. 잠시 뒤에 그녀가 입을 열었다.

"그럼... 형사님은 수철이가 범인이라고 생각하시는 거예요?"

예상외의 신주리의 질문에 도형사는 움찔했다.

"우린 모든 가능성을 조사하고 있을 뿐이에요. 지금 당장은 유일한 가족인 정수철의 존재가 확인되지 않아 찾고 있습니다."

"그렇군요..."

신주리의 무거웠던 얼굴이 더 무겁게 어떤 생각에 잠기는 것 같았다.

"그 담임 선생님 성함이 최형우 맞습니까?"

"네."

"그 분은 어떤 분이셨어요?"

"평범한 선생님이었어요."

"정수철의 사고를 처음 발견한 사람이 선생님이었습니까?"

"네... 아니요. 잘 모르겠어요."

신주리는 지금까지와 달리 이상할 정도로 더듬거리고 있었다. 그것이 정수철의 부모님이 죽었다는 사실 때문인지, 최형우에 대한 질문 때문인지 알 수 없었다.

"수철이가 사고가 났다는 것도 병원에 있다는 것도 모두 선생님이 해주신 얘기에요."

"아까 선생님이 정수철을 병원에 데리고 갔다고 했잖아요."

"네. 선생님이 병원에 데리고 갔다. 많이 다친 것 같다고 말씀하셨어요."

신주리의 말이 끊겼고 세 사람 사이엔 침묵이 흘렀다.

"저... 죄송하지만 약속이 있어서요."

신주리가 침묵을 깨고 말했다. 도형사와 김순경은 서둘러 일어났다. 신주리가 뭔가 숨기고 있다는 것을 직감했지만 본인이 털어놓지 않는 이상 눌러앉아 있을 수도 없었다. 생각나는 것이 있으면 연락 달라고 도형사의 명함을 탁자 위에 놓고 돌아섰다.

돌아오는 차 안에서 김순경은 뜬금없이 신주리가 결혼했다는 말이 거짓말인 것 같다는 말을 했다.

"무슨 근거로?"

"그냥 그런 느낌이에요. 아까 도형사님 식혜 드실 때 주리랑 학교 다닐 때 얘길 했잖아요. 그때 그런 느낌이 들었어요. 주리의 표정이나 손짓이나 그런 게 곧 나한테 닿을 것 같은 느낌이요. 만약 거기 형사님이 없었다면 주리의 손이 내 손을 잡았을 것 같은 그런 느낌이요."

도형사는 순진한 김순경을 물끄러미 바라봤다.

"김순경 여자 친구 있어?"
"네? 아, 아니요."
"연애 한지는 얼마나 됐어?"
"...한 번도 안 해봤는데요."

도형사는 말없이 김순경의 어깨를 툭툭 두드렸다. 김순경은 무슨 문제라고 있는 거냐고 오히려 되묻는 표정이었다.

"김순경, 일단 연애부터 좀 하자. 신주리는 정수철 얘기할 때도 그런 느낌 아니었어? 정수철을 좋아한 것 같았잖아. 여자를 이렇게 몰라서야"

김순경은 민망한 표정으로 얼굴이 새빨개졌다. 그런 김순경이 귀엽게 느껴져 도형사는 피식 웃어버렸다.

다음 날 아침, 도형사는 일찍 도계리로 향했다. 마을 사람들이 도형사의 질문에 설사 제대로 대답해주지 않는다 하더라도 그곳엔 뭔가 있었다.

사고가 난 뒤 사라진 정수철.

그로부터 8년 뒤 죽음으로 사라진 정수철의 부모.

정수철의 부모는 아마도 무엇으로부터 정수철을 지키고 싶었는지도 모른다.

최형우. 그를 찾아야 한다.

이미 학기가 시작되었지만 폐교된다는 소문 때문인지 학생 수가 적어서인지 도계중학교는 조용했다. 교실 창문 너머 수업을 받는 학생들의 모습을 보던 도형사는 그때 창밖으로 고개를 돌린 한 여학생과 눈이 마주쳤다. 도형사는 놀라 서둘러 고개를 돌렸다. 훔쳐본 건 아닌데 마치 훔쳐보고 있었다는 비난을 받은 느낌이었다. 도형사는 발걸음을 교무실 쪽으로 돌렸다.

교무실에서 수업이 끝난 김 선생과 다시 만났다. 김 선생의 말에 따르면 최형우는 4년 전 이 학교를 그만두었는데 그 이후로 교직생활을 그만두었다고 했다.-이는 교육청에서 직접 확인한 바도 마찬가지다- '최형우 선생'에 대해서 기억나는 점이 있냐고 물었을 때 김 선생은 대뜸 말했다.

"오겠다는 사람이 한 사람도 없으면 어쩌나 너무 걱정했어요."
"네?"

의아한 도형사가 영문 모를 표정으로 되물었다.

"최형우 선생이 저를 보자마자 처음 뱉은 말이었습니다. 최 선생은 무척 초조하고 불안해 보였어요. 좀 지루해하는 것 같기도 하고 들떠 있는 것 같기도 하고 아무튼 사람이 좀 떠 있는 것처럼 보였어요. 저한테 인수인계를 하는 며칠 동안 저한테 몇 번이나 왜 여기 왔냐고 물어봤거든요."
"실제로 이 학교나 여기에서 살기에 뭔가 이상한 점을 발견하셨습니까?"
"아뇨. 저는 너무 좋던데요."

"그러셨군요."

"여기 수돗물 그냥 마셔도 되고요. 몇 걸음만 나서면 산이고 계곡이고요. 제가 도시에서만 살아서 그런지 여기 애들은 완전 순둥순둥 해요. 중학생이면 이젠 다 커서 한 번에 네 하는 애들 없잖아요. 그런데 여기 애들은 선생님이 뭐라 말하면 한 번도 '왜요'라고도 말한 적이 없어요. 뭐 그게 좋은 건지 어떤 건지 모르겠지만... 부모님들도 참 사람 좋습니다. 제가 뭐 잘난 선생님도 아닌데 선생님 선생님하고 인사 건네주실 때면 참 고맙죠. 겨울이면 김치며 시래기며 곶감이며 다 갖다 주시죠. 공기 좋고 사람 좋고 산도 좋고 뭐 이보다 좋은 데가 어디 있겠습니까."

"오다 보니 저쪽에 관사가 있던데요. 거기서 지내십니까?"

"네. 최 선생님도 거기서 지냈다 그러더라고요."

"최 선생님은 왜 학교를 그만두셨는지 아십니까?"

"글쎄요.... 그건 저도 잘 모르겠지만...사실... 저는 그 분이... 아주 솔직히 말하면... 개인적으로..."

김 선생은 답답할 정도로 뜸을 들였다.

"편하게 말씀하세요."

"사실 저는 최형우 선생님이 좀 자질이 부족하신 분이 아닌가 하는 생각이 들었어요. 선생님이라기보다는 뭐랄까, 좀 가볍다고 해야 할까요. 건들건들한 느낌도 있고요. 물론 선생님이 젊으시니까 시골에 갇혀 지내는 게 답답해서 그럴 수도 있지 않을까 하는 생각을 해보기도 했지만, 처음 만났을 때 전 선생을 할 사람의 얼굴이 아니라는 생각을 했습니다. 최 선생님이 그만둔다고 해서 오히려 다행이라는 생각이 들었습니다."

"최 선생님이 계신 동안 학생이 사고가 나서 크게 다쳤다고 하던데요. 혹시 그 사고에 대해서 아시는 바가 있습니까?"

"아니요. 들은 바가 없습니다."

잠시 도형사의 눈치를 살피던 김 선생이 은밀한 비밀을 공유라도 하듯이 물었다.

"혹시 그 최형우 선생님이라는 분이 어떤 범죄와 연관되어 있습니까?"

도형사는 입을 다물었다. 김 선생은 보기와 다르게 좀 수다스럽다는 인상이 들었다. 도형사의 그런 생각을 눈치챘는지 김 선생은 대번 분위기를 바꾸었다. 그는 말도 많고 눈치도 빠른 사람이었다. 어쩌면 김 선생은 빠른 눈치로 산골 생활에도 잘 적응했는지도 모른다.

"지난번에도 오시고 벌써 두 번째잖아요. 하지만 만약 그렇다 해도 전 별로 놀라지 않을 겁니다. 그럼요."

"혹시 김 선생님도 작은 별 병원에 다니십니까?"

"작은 별 병원이요? 여긴 병원이 하나도 없는데요. 아! 병원이 하나 있었다고 들었어요. 근데 아마도 제가 전근 오기 한참 전에 문을 닫은 것 같던데요."

"그게 언제인지 기억하십니까?"

"글쎄요... 아! 4년 즈음 전이요? 최형우 선생님이 그만두기 얼마 전에 병원이 폐업했다고 들었어요. 맞아요. 그래서 동네에 선생님들이 한꺼번에 떠난다는 말들을 했었어요."

김 선생이 수업에 들어간 뒤 도형사는 김 선생이 안내해 준 자리에서 졸업 앨범을 뒤졌다. 최형우 선생님의 사진을 보는 순간, 도형사는 고개를 갸웃했다. 사진 속의 최형우는 선이 고운 이목구비에 샌님처럼 보이는 뿔테 안경을 쓰고 있다. 어딘가 우울한 구석이 없지 않았지만, 평생 공부나 했을 것 같은 그런 인상이었다. 중학교 소녀들의 꿈에 한 번쯤 나왔을 것 같은 선생님의 모습. 낯선 사람에게 말도 잘 걸지 못하는 소심한 사람이었을 것이다. 이런 얼굴이 건들건들한 느낌이라니. 김 선생 같은 사람이 몽타주를 만들게 되면 큰일 나겠다.

도형사는 온 동네를 헤집고 다녔지만 작은 별 병원은 찾지 못했다. 정수철의 주소지를 찾는 데만도 3시간이 걸렸다. 주소지 정리가 되어 있지 않고 사는 사람들도 정확한 주소를 알고 있지 않았다. '쭉 걸어가다가 정자 있는데서 오른쪽으로 꺾어서 휙 뒤불고 가면 나오는 감나무집.' 뭐 이런 식의 설명들이었다. 도계리만 오면 머릿속이 뒤죽박죽되고 끝이 나지 않는 미로를 계속 구불구불 돌고 있는 느낌이 들었다.

정자에서 오른쪽으로 돌아 여기저기로 구부러진 길 가운데 있는 몇 개의 감나무집 가운데 한 집의 대문 앞에서 사람을 불렀다. 아무리 불러도 나오지 않아 도형사는 대문을 살짝 두드렸다. 대문은 거슬리는 소리로 저항하면서도 힘없이 열렸다. 조심스럽게 대문 안으로 들어서 보니 빈 집이다. 오래된 농기구와 줘도 안 쓸 것 같은 세간들이 감나무 아래에서 먼지를 뒤집어쓰고 있었다. 도형사는 작년 가을에 떨어졌을 감들이 시체처럼 말라붙어 있는 마당을 지나 방문을 열었다. 벽에는 2005년 달력. 이 집은 2005년도에 이사를 간 모양이다. 달력의 11일에 빨간 동그라미가 되어 있었다. 물끄러미 그 달력을 보고 있다가 도형사는 펄떡 돌아섰다.

도형사는 마을의 빈 집들을 모두 살피고 다녔다. 정씨 부부가 살았던 집은 분명히 있을 것이고 그들의 세간도 어느 정도 남겨져 있을 것이다. 그 세간에서 어떤 흔적을 찾을 수 있을지도 모른다. 이 집이 아홉 번째 빈집이던가. 도형사가 집안을 살피고 있었다. 다른 집과 특이한 점이 없었다. 찬장도 열어보고 다락도 열어보았지만 남아 있는 물건이랄 것이 없었다. 돌아 나오려는데 방문 안쪽으로 작은 덧문이 보인다. 조금 열려진 덧문 안쪽의 어둠이 해질녘이라 더 을씨년스럽게 느껴졌다. 조심히 덧문을 밀자 끼익하는 요란한 소리를 내며 실내가 드러났다. 창문 없는 작은 방이다. 한걸음 내딛는데 발바닥에 뭔가 우직 밟힌다. 들어보니 오래된 주사기다.

도형사는 이 방에서 사고를 당한 정수철이 누워 있던 모습이 떠올랐다. 정씨 부부는 환자를 왜 이렇게 어두운 방에 두었던 것일까. 대문 밖에서 정수철의 친구들이 찾아와도 보여주지 않았다. 마당을 내다보니 신주리가 대문 밖에서 문을 두드리고 있는 것 같았다. “수철아!”하고 부르던 신주리는 쌀쌀맞은 정씨 부부의 냉대에 영문 모르고 돌아섰다.

모든 것은 정수철의 사고에서부터 시작된 것일까?
사고가 나고, 정수철은 자퇴를 하고, 정씨 부부는 이사를 갔고, 최 선생은 교직을 그만두었으며, 작은 별 병원은 문을 닫았고, 정씨의 부인, 차씨가 최 선생에게 매달 80만원씩 송금을 시작했다. ‘최형우의 계좌를 추적해 볼 필요가 있겠어’라고 도형사는 중얼거렸다.

7.

지훈은 영선이 보고 난 뒤 꽂아둔 책을 다시 빼 들었다. 이번에는‘앙코르 와트 천년의 역사 속을 걷다’라는 책이다. ‘리시 이야기’, ‘이스탄불 마니아’, ‘멕시코 오후 3시’, ‘살인 백과’, 그리고 아가사 크리스티의 추리 소설 전집, '세계 불가사의 백과', '사후의 삶은 있는가', '야생화 백과', '한국의 버섯 백과'……

지훈은 종일 영선의 뒤만 쫓아 다니고 있었다.

지훈은 자판기 커피를 한 잔 뽑아 들고 로비를 서성거렸다. 화장실에서 나온 영선이 지훈을 스쳐 지나갔다.

"저..."

영선은 지훈의 소심한 '저...'를 듣지 못한 채 그대로 열람실로 들어간다. 지훈은 손에 든 커피를 입속으로 한꺼번에 털어 넣었다. 지훈은 그 날, 총 세잔의 커피를 마셨다. 평소 같으면 밤 11시에 정확히 잠자리에 들어 뒤척이는 법도 없이 잠속으로 빠져 들었겠지만, 새벽 1시가 되도록 지훈은 잠을 이루지 못했다. 평생 살아본 적 없는 낯선 시간에 있는 지훈은 어둠 속에서 두 눈을 말똥말똥 뜨고 있다가 갑자기 울음이 터져 한 번도 불러본 적 없는 엄마를 부르며 엉엉 울었다.

영선이 다시 책꽂이에 꽂아둔 책에서 지훈은 쓰다만 편지를 발견했다. 누군가에게 쓴 편지라는 것을 안 순간 지훈은 망설였지만 누가 볼까 서둘러 주머니에 구겨 넣었다. 화장실로 달려가 문을 걸어 잠그고 편지를 펼쳤다.

수철아

오늘의 아침 메뉴는 무 한 덩이가 들어가 있는 무국과 김치, 감자볶음이었어. 무엇으로 맛을 냈는지 모를 볶음밥과 함께 나왔어. 참 맛있었어. 세상엔 맛있는 음식이 참 많아. 나는 음식을 맛이 있다 없다로 따지는 사람은 아니야. 산에서 가족들과 지낼 때 아빠는 늘 버섯을 많이 따 왔어. 여러 산나물과 버섯으로 만든 죽은 참 맛있어. 노숙자 쉼터라는 곳은 참 좋아. 잠도 재워주고 아침도 줘. 어젯밤은 온몸이 가려워서 한잠도 자지 못했어. 이 시기에 벌써 모기가 있을 리도 없는데 말이야. 아마도 빈대가 있는 것 같아. 빈대를 없애는 방법을 알아봐야겠어.

놀라운 사실을 알아냈어. 빈대는 바퀴벌레처럼 번식력이 굉장히 뛰어난데 바퀴벌레보다 생명력은 훨씬 질기데. 바퀴벌레가 한 달 정도 먹지 못하면 죽는 것에 반해서 빈대는 6개월에서 1년 정도는 먹지 않고도 생존할 수 있다고 해. 암컷 빈대는 한번에 200개 정도의 알을 낳고 유충은 약 10개월에 걸쳐 성장해 성인 빈대가 된데. 야행성이라 밤에만 활동하고. 그래서 내가 밤에만 이렇게 물린 거로구나. 빈대는 햇빛에 매우 약해서 통풍과 채광이 잘 되는 곳에서는 살 수가 없데. 지금 앉아 있는 이 도서관 같은 곳에는 빈대가 생기지 않을 것 같아. 설사 내 몸에 지금 빈대가 기어 다닌다 해도 기어 나오거나 하진 않겠지. 여긴 통풍과 채광이 잘되는 곳이니까. 계피가 빈대 퇴치에 효과적이라고 하니 한번 구해봐야겠어.

빈대가 부러워. 1년을 먹지 않아도 살 수 있다니! 그 말은 1년에 한 번만 먹어도 살 수 있다는 말이잖아. 사람은 하루에 한 번은 먹어야 하는데. 빈대를 닮고 싶어. 빈대의 위와 빈대의 피와 빈대의 뇌를 가지고 싶어.

편지 끝에는 삐뚤삐뚤한 빈대 그림이 그려져 있었다. 지훈은 편지에 얼굴을 박고 '크크크큭' 소리를 죽여 웃었다. 빈대가 되고 싶은 여자로구나. 누군가의 은밀한 부분을 훔쳐보는 것에 대한 죄책감을 느꼈지만, 그 은밀한 부분이란 것이 빈대가 되고 싶다는 욕

망이라는 부분에서 지훈은 웃음이 터져버리고 말았다. 지훈은 한 번 더 편지를 읽고는 곱게 접어서 주머니에 넣었다.

별이 잘 드는 도서관 앞 벤치에 앉아 눈을 감은 채 해바라기를 하는 영선의 얼굴 위로 그늘이 드리웠다. 가만히 눈을 뜬 영선은 햇무리 왕관을 쓴 지훈을 봤다. 지훈은 말없이 무언가를 내밀었다.

"이게 뭐예요?"
"수정과요. 여기 보면 계피가 들어 있다고 쓰여 있어요."

영선은 대뜸 수정과를 받아들고 벌컥벌컥 마시기 시작했다. 지훈은 말없이 주섬주섬 주머니에서 영선의 편지를 꺼내 내밀었다.

"미안해요. 책 정리를 하다가 책에 끼워져 있는 것을 보게 됐어요. 일부러 본 건 아니에요. 정말 일부러 본 건 아니에요."
"고맙습니다."
"나 여기 앉아도 돼요?"

"빈대 옮아요."
"떨어져서 앉을게요. 그리고 여기 내 것도 있어요."

다른 한 손에 쥔 수정과 캔을 딱 소리내어 땄다. 그리곤 무슨 부적처럼 이리저리 흔들었다. 영선은 자기 수정과를 벌써 다 마시고 난 뒤에 입맛을 쩝쩝 다시고 있다. 지훈은 자기 몫의 수정과도 영선 앞으로 내밀었다. 영선은 또 허겁지겁 받아들고는 단번에 마셔버렸다.

"빈대 없는 숙소 알려줄까요?"
"그런 곳을 알아요?"
"빈대도 없고 아침과 저녁이 나와요."

그 말과 동시에 영선의 배에서 물 흐르는 소리가 새어 나왔다.

402번 버스에 지훈과 영선은 나란히 앉았다. 가는 내내 영선은 똑바로 앉아 앞만 쳐다보고 있었다. 지훈은 그런 영선의 옆모습을 흘끔거렸다.

지훈은 라면을 끓이면서 계속 뒤를 힐끔거리며 영

선의 뒷모습을 훔쳐봤다. 영선은 꿈쩍도 하지 않고 바닥 탁자 앞에 가만히 앉아 있다. 잠시 후 지훈은 라면 냄비를 들고 영선 앞에 앉았다. 김이 모락모락 오르는 라면은 맛있어 보였다.

“먹어요. 지금은 이것밖에 없는데 내일 장을 좀 봐 올게요.”

영선은 물끄러미 라면을 바라보며 꼼짝도 하지 않는다. 지훈이 먼저 젓가락을 들어 라면을 덜어 먹는다. 그러자 영선도 라면을 덜어 먹기 시작한다. 일단 먹기 시작하자 영선은 정신없이 라면을 밀어 넣었다. 냄비에서 크게 한 젓가락 덜어냈다. 그런 영선에게 자극을 받은 지훈은 입맛을 쩝쩝거리며 자기 차례가 돌아오길 초조하게 기다렸다. 라면 냄비는 믿을 수 없을 정도로 순식간에 비워졌다. 영선은 숨 돌릴 틈도 없이 빈 그릇들을 들고 일어났다.

“라면 더 먹게요? 미안해요. 그게 단데.”
“나 그런 사람 아니에요.”
“무슨 뜻이에요? 어떤 사람이요?”
“욕심 많은 사람.”

"라면 하나가 무슨 욕심이라고... 1인당 라면 하나는 당연한 거예요. 욕심이 아니라 당연한 권리라고요."

영선은 처음 들어본 이야기라는 듯 고개를 갸웃했다. 수철이와 함께 지낼 때, 라면은 아주 특별한 별식이었다. 그것은 온전히 라면을 사는 사람의 마음에 달려 있었다. 라면 하나에도 어마어마한 힘을 가질 수 있다는 것은 라면 그 자체의 힘이 아니라 영선에게서 라면을 살 수 있는 조건 자체를 박탈한 사람들의 문제였지만 영선으로서는 조건을 바꾸는 것보다 라면을 조금 더 먹는 것이 중요했다. 그리고 더 쉬웠다. 그러기 위해서는 그 무한한 힘을 가진 수철이의 엄마의 마음에 드는 것이 중요했다. 영선은 수철이의 엄마의 맘에 들기 위해서 참으로 애를 썼다. 수철이의 엄마가 방에 있는 동안 그녀의 신발을 닦아 두었고, 그녀가 올 시간이면 수철이를 일부러 목욕시켜 깔끔한 모양새로 만들어 놓았다. 가지런히 머리도 빗기고 움직이지 않는 그의 얼굴을 이리저리 움직여 조금이라도 나아졌다는 느낌을 주려했다. 수철이의 입가를 손가락으로 끌어올릴 때마다 수철이는 끔찍한 소리를 내며 싫어했다.

"내가 삐에론 줄 알아? 다시 되돌려놔."

목소리는 그릉대는 짐승같았지만 수철의 얼굴은 웃고 있었다. 그 모습이 얼마나 웃기던지. 영선은 가끔 라면에 대한 기대 없이도 수철을 그런 식으로 놀리곤 했다. 수철인 우습게 보이는 것을 끔찍이 싫어했다. 농담을 잘 못하는 성격이랄까. 영선은 그런 수철의 성격이 좀 답답하긴 했지만 싫지 않았다. 하지만 라면에 관한 문제에 있어서 수철이는 아무런 힘도 없었다. 영선의 노력은 털끝만치도 수철의 엄마 마음을 움직이지 못했고, 심지어 아무런 주의도 이끌어내지 못했지만, 영선은 쉽게 노력을 멈추는 사람이 아니었다.

영선은 수철이 엄마가 올 때마다 몇 시간씩 머무르는 방을 깨끗하게 치워놓았다. 이불도 뙤약볕에 말려서 보송보송하게 펴 두었다. 수철이를 목욕시키는 것보다 수철이 엄마가 머물렀던 이불을 빠는 것이 확실히 더 효과적이었다. 게다가 힘도 덜 들었다. 그럴 때면 수철의 엄마는 라면을 두 개씩 사다주곤 했다. 아껴먹으라는 말도 아끼지 않았다. 매번 사 오기 힘드니까 한 번에 반 개씩만 먹으라고 했다. 그러면서 수철의 유동식은 잊지 않고 넘치도록 사왔다. 영선은 그런 그녀에게 서운함을 느끼지는 않았다. 어쩌면 당연한 것인지도 몰랐다. 수철은 그녀의 가족이었고, 영선은 남이었으니까.

하지만 영선에게는 수철도 남이었다.

그렇다면 영선도 수철을 때려야 하는 것일까? 그럼 영선의 서운한 마음이 좀 풀릴까? 그건 공평한 일이 될까?

영선은 수철을 때리고 싶지 않았다. 수철이는 꽤 괜찮은 친구였다. 물론 아무도 모른다는 것이 문제였지만, 그걸 알아주는 유일한 사람인 영선이 '수철이가 꽤 괜찮은 사람'이라는 사실을 모른 척하고 싶지 않았다. 영선은 알아주어야 했다. 알아주고 싶었다. 그게 오히려 공평한 일이라는 생각이 들었다. 영선은 수철의 엄마가 모르는 것을 알고 있는 셈이었다. 그 '알고 있다'라는 사실에 대한 책임을 져야 했다.

지훈은 겨우 라면 하나 가지고 욕심 많은 사람이 된 것 같아 괜히 억울해졌다.

"그럼 왜 일어난 거예요?"
"설거지하려고요."
"그냥 둬도 괜찮아요."
"두면 벌레 생겨요"

벌레는 그래도 생겼다. 그날 밤, 지훈은 밤새 몸을 긁느라 잠을 자지 못했다. 빈대는 영선을 따라 지훈의 집까지 들어왔다. 살충제를 사다가 온 집안에 뿌리고 영선의 옷은 쓰레기봉투에 넣어 집에서 멀리 떨어진 곳에 버렸다. 영선은 꽃무늬 치마만은 남겨두길 원했지만, 지훈은 주저하지 않고 쓰레기봉투 속에 밀어 넣었다. 영선에게 이 꽃무늬 치마는 어울리지 않는다고 지훈은 늘 생각했었다.

구제 옷가게들이 모여 있는 광장시장을 뒤져 영선에게 어울리는 치마를 찾아냈다. 물고기 그림이 그려진 무릎길이 정도의 치마였다. 하늘색 티셔츠와 주황색 물고기 그림이 그려진 치마를 입은 영선은 딴 사람처럼 보일 정도였다. 지훈은 자신의 스웨터도 하나 샀다. 구수한 기름 냄새가 진동하는 빈대떡을 사 들고 서둘러 집으로 들어왔다. 돌아오자마자 지훈은 화장실로 달려가 토하기 시작했다.

"어디 아파요?"

지훈은 괜찮다고 손짓을 하며 문을 닫고 나가라는 시늉을 했다. 영선은 화장실 밖에서 서성거리고 있다가 다시 화장실 문을 열고 들어갔다. 그리고 지훈의 등을 문지르기 시작했다. 지훈은 따뜻한 등 언저리가 자꾸만 신경이 쓰였다. 따듯한 빈대떡, 따뜻한 스웨터, 따뜻한 손, 그 따뜻함 때문에 더 헛구역질이 치밀어 올라 거의 창자까지 올릴 기세로 토했다. 안돼. 지나치게 따듯했던 거야. 지훈은 영선을 화장실 밖으로 밀어내고 혼자 남았다. 그제야 토악질이 조금씩 가라앉았다. 지훈이 화장실에서 나오자 영선은 거실 한가운데에 우두커니 서 있었다.

영선은 현관문 쪽으로 걸어가더니 눈 깜짝할 사이 문을 열고 나갔다. 지훈은 영선을 잡지 않았다. 대신 커다란 한숨이 흘러나왔다. 일종의 안도감이었다. 드디어 혼자 남았다는 안도감. 지훈은 영선과 함께 하는 동안 가슴이 쿵쾅거리고 진정되지 않았다. 잠시도 늦춰지지 않는 긴장감 때문에 뒷목이 뻐근해져 두통이 생길 지경이었다. 그런 그녀가 떠났다. 다행이라고 생각했다. 옆집 시끄러운 할아버지가 쿵쿵대는 소리가 들려왔다. 다시 일상으로 돌아온 것이다. 지훈은 그대로 쓰러져 잠에 빠졌다.

얼마나 잤을까. 여전히 옆집 할아버지가 내는 쿵쿵 소리에 눈을 떴다. 평소 같으면 아무런 대응도 하지 않았을 테지만 이번에는 한 마디 해야겠다는 생각이 들었다. 아니 두 마디 세 마디, 더 언성을 높여 싸우고 싶었다. 지훈은 현관문을 밀치고 나가 옆집 문 앞에 섰다. 안에서 쿵쿵 소리가 들려왔지만, 초인종 소리에는 아무도 대꾸하지 않았다. 지훈은 힘을 주어 현관문을 두드렸다. 그러자 옆집 할아버지의 현관문은 삑 소리를 내며 힘없이 열렸다. 왠지 쓸데없이 큰 힘을 쓴 사람처럼 기운이 빠졌다.

문이 열렸지만 지훈은 차마 들어갈 엄두가 나지 않았다. 문틈으로 버둥거리는 발이 보였다. 발은 바닥을 차며 쿵쿵 소리를 냈다.

"할아버지, 저 옆집인데요."

귀가 없는 발은 못 들은 것처럼 여전히 버둥거렸다. 지훈이 조심스럽게 거실로 들어서자 할아버지는 가슴에 줄을 휘감은 채 버둥대고 있었다. 줄의 다른 한쪽 끝은 베란다에 매달려 있었다. 놀란 지훈은 할아버지의 몸에 휘감긴 줄을 풀려 애를 썼다. 워낙 단단히 묶인 줄은 베란다와 팽팽하게 연결되어 있었다. 베란다 밖을 내다보니 줄은 바닥까지 늘어져 있고 그 끝에 커다란 서랍장이 매달려 있었다. 할아버지의 얼굴은 이미 시뻘개진 채였다. 지훈은 부엌을 뒤져 칼을 찾았다. 그리곤 힘껏 서랍장과 할아버지 사이의 줄을 향해 내리쳤다. 베란다 밖에서 서랍장이 떨어지는 쿵 소리가 들렸다. 할아버지의 몸은 그제야 바닥에 축 늘어졌다.

"할아버지 괜찮으세요?"

윤 씨 할아버지는 아주 천천히 웃었다.

"응, 응"
"언제부터 이러신 거예요?"
"얼마 안 됐어. 저 서랍장을 올려야 하는데."
"저걸 왜요?"
"올려야지 그럼 밖에 둬?"

윤 씨 할아버지는 서랍장을 올리기 위해 온몸에 줄을 매고 베란다를 통해 끌어 올리고 있었다고 했다. 그는 치매였다. 가족 없는 치매 환자. 이따금 치매 증세는 잠잠해졌다가 다시 재발하곤 했지만, 점점 그 간격이 가까워지고 있었다. 윤 씨 할아버지는 자신이 완전히 정신을 잃을 때가 멀지 않았다는 것을 알고 있었지만 그렇다고 해도 윤 씨 할아버지가 할 수 있는 것은 별로 없었다. 그는 가족이 없었고, 가난했고, 고집스러웠다. 윤 씨 할아버지의 집은 알 수 없는 악취로 가득했고 윤 씨 할아버지의 몸에서도 고약한 냄새가 풍겨 나왔다. 그의 얼굴엔 어디서 났는지 모를 상처가 누런 고름을 덮어쓴 채 방치되고 있었다. 지훈은 인상을 찌푸리며 뒷걸음질을 쳤다. 소리 나지 않게 문을 닫고 집으로 돌아왔다. 더 쿵쿵거리는 소리가 들리지 않았다.

누군가의 삶에 관여하는 일은 귀찮은 일이다. 가족이란 수선조차 불가능하게 바짓부리가 긴 바지와 같았다. 잘리지도 않고 그렇다고 내 다리는 자라지도 않아 자꾸만 걸려 넘어지기만 하는 거추장스러운 옷. 그렇다고 벗어버릴 수도 없는 피부 같은 옷.

진달래 아파트라는 곳은 그런 사람들의 은신처 같았다. 끈적이는 피부를 한 겹 벗겨내는 고통을 겪어내고 제 몸에 맞는 맞춤옷을 해 입은 사람들이 비척거리며 걸어 들어와 그대로 주저앉은 곳. 적어도 지훈과 윤 씨 할아버지는 그랬다.

지훈은 윤 씨 할아버지의 치매가 전염병이길 바랐다. 그래서 영선에 대한 기억도 사라져주길. 하지만 그것은 시간이 갈수록 더 또렷해졌다. 집 나간다던 영선은 지훈의 머릿속에 아예 자리를 잡아버렸다. 아무리 나가라고 해도 나가지 않았다. 빈대처럼 지훈의 뇌 구석구석, 전두엽, 후두엽, 뉴런, 척수세포 모두에 들러붙어 떨어지지 않았다.

며칠 후, 영선은 도서관에 나타났지만 지훈을 보고도 아무런 아는 체를 하지 않았다. 그 냉랭한 눈빛이 어찌나 서럽던지 발가락이 찌릿하며 얼어붙는 것 같았다.

지훈은 영선의 뒤통수를 노려봤다. 영선은 그녀의 뒤통수 마저도 지훈을 노려보는 것처럼 꼿꼿하게 움직임이 없었다. 얼마나 노려봤을까. 공포영화의 한 장면처럼 영선의 뒤통수가 천천히 움직이더니 지훈을 바라봤다. 영선의 눈빛과 마주치자 지훈은 "으헉" 소리를 내며 의자에서 떨어져버렸다. 영선은 그저 고개를 돌렸을 뿐이지만 오랫동안 뒤통수만 바라보고 있던 지훈의 눈엔 일종의 환각처럼 보였다. 한 번도 사람들의 시선을 받아본 적 없던 지훈은 도망치듯 그곳을 빠져나왔다. 열람실 문을 닫고 나서야 한숨을 내쉬는데, 바로 뒤이어 열람실 문이 열리더니 영선의 얼굴이 유령처럼 나타났다. 지훈은 양손으로 입을 틀어막은 채 달아났지만, 영선은 계속 따라왔다. 지훈이 빨리 걸으면 영선도 빨리 걸었고, 지훈이 방향을 틀면 영선도 틀었다. 직장까지 와서 이럴 건 뭐람 이라고 생각했지만, 영선에게 쫓기면서 지훈은 이상한 안도감이 아랫배 안쪽에서부터 스멀거리며 번지고 있는 것을 느끼고 있었다. 등 뒤에서 들리는 다소 가벼운 발걸음 소리는 그녀가 바로 등 뒤에 있다는 신호였다. 이대로 그녀에게 영원히 쫓기면서 사는 것도 괜찮겠다는 생각이 들었다.

갑자기 지훈의 등 뒤에서 들리던 그녀의 발걸음 소리가 멈췄다. 몇 걸음 더 종종거려 봤지만 지훈의 등 뒤에선 아무런 소리도 들리지 않았다. 놀란 지훈은 번쩍 뒤를 돌았다. 최소한 몇 걸음 뒤에 서 있기라도 해야 할 영선의 모습이 보이지 않았다. 화장실이며 코너들을 찾아봤지만 영선은 감쪽같이 사라졌다. 지훈은 정말 유령이라도 만난 것처럼 그곳에 멍한 표정으로 한참을 서 있었다. 뱃속에서 자라나던 안도감만큼이나 분명해지는 것이 있었다. 이젠 지훈이 영선을 찾아야 할 차례였다.

8.

4월 30일

쿵

차가운 시멘트 바닥에 영선의 몸이 굴렀다. 맨몸으로 건물 외벽을 오르려던 영선이 미끄러져 떨어졌다. 지훈은 한숨을 내쉬며 영선을 바라봤다. 벌써 30분째 영선은 떨어졌다 다시 오르기를 반복하고 있다. 저러다 다치지 싶은데, 영선은 또 주섬거리며 일어나 벽을 오르려 하고 있다. 지훈은 영선에게 다가가 무릎을 굽혀 앉았다.

“타요. 내 목을 타고 올라가요.”

영선은 지훈의 목에 올라탔다. 지훈의 마른 다리가 휘청거렸지만 넘어지지 않으려고 아랫배에 힘을 줬다. 영선은 팔을 뻗어 버둥거리며 난간을 잡으려고 애썼다. 그러다 균형을 잃고 오른쪽으로 휘청하는 영선의 몸을 따라 움직이다가 시멘트 바닥의 갈라진 틈 사이에서 그만 두 사람은 같이 바닥에 굴렀다. 영선의 얼굴이 바닥에 긁혀 살갗 위로 피가 스며 나오고 있었다.

"어, 피…"

영선은 손등으로 얼굴을 쓱 문지른다. 손등에 묻어 나온 피도 개의치 않고 영선은 자신의 옷에 문질러 닦았다.

"도대체 누굴 찾고 있는데요?"
"…"
"남자 친구예요?"

영선은 고개를 저었다.

"남동생?"

영선은 고개를 저었다.

"아빠?"

영선은 고개를 저었다.

"다치거나 아프면 병원 가는 거예요. 정 들어가고 싶으면 아프다고 해요."
"하지만 안 아파요."
"그럼 달리는 차에 살짝 치이던가."

지훈의 무심한 말에 영선의 눈이 반짝 이더니 자리에서 벌떡 일어나 어디론가 달려가기 시작했다. 영선은 달려오는 차 앞으로 달려가고 있었다. 어어 하는데 끼익 요란한 소리와 함께 자동차가 멈추었다. 영선은 차 앞에 몸을 웅크리고 서 있었다. 운전자가 차문을 열고 나와 소리를 질렀다.

"죽으려고 작정을 했어? 이게 무슨 짓이야? 갑자기 그렇게 튀어나오면 어쩌려고 그래?"
"다치려고 그랬어요."

영선의 대답에 운전자는 기가 막히다는 표정을 지었다.

"뭐라고? 지금 나한테 보험 사기라고 치려고 그랬다는 말이야?"

"아니요. 내가 다치려고요. 내가 다치는 거니까 괜찮아요. 난 다쳐도 괜찮아요."

"뭐야. 이거 뭐야. 뭐라는 거야."

이 운전자는 죽었다 깨어나도 영선을 이해할 수 없을 것이다. 그런 생각이 들자 지훈은 피식 웃음이 나왔다. 그녀를 이해할 수 있는 사람은 이 세상에 자신밖에 없을 거라는 확신이 들었다. 그 사실을 그녀도 알게 된다면 두 사람은 영원히 서로에게 묶이게 될 것이다. 당황한 운전자가 휴대폰을 꺼내 어딘가로 전화를 걸려고 할 때, 영선은 머리를 본네트에 쿵쿵 부딪히기 시작했다. 운전자는 놀라 영선을 붙잡아 바닥에 내팽개쳤다.

"야! 너 뭐야. 너 뭐 하는 거야?"

운전자는 영선의 얼굴에 난 상처까지 놀란 눈으로

바라봤다. 운전자는 겁먹은 표정으로 달아나버렸다. 그래, 그녀를 처음 본 사람들은 누구라도 그런 표정을 짓지.

“내가 그 사람 찾는 거 도와줄게요. 나한테 말해줄 수 있어요?”

“걔 부모님이 수철이를 수술 시킨데요. 그래서 말하고 걷고 뛰게 만든다고 했어요.”

“좋은 거 아니에요?”

“수철이는 싫데요.”

“말도 못하고 걷지도 못하는 사람이 수술을 받고 나서 말도 할 수 있고 걸을 수 있게 되면 좋은 거예요.”

“수철이 부모님도 그렇게 말했어요.”

“그럼 그냥 내버려둬요.”

“수철이네 부모님은 거짓말쟁이예요.”

지훈은 이 대화에 좀처럼 익숙해질 수가 없었다. 영선과 마주할 때마다 밀려드는 혼란. 그 혼란스러움이 자신이 오랫동안 다른 사람들과 교류 없이 혼자 히키코모리로 오래 지낸 탓인지 아니면 영선이 이상한 대화를 하고 있기 때문인지 알 수 없었다.

지훈은 입을 다물었다. 더 이야기하고 싶지 않았다. 말없이 자리에서 일어나 아까의 운전자처럼 영선을 외면하고 걸었다. 못 봤다고 해버리면 이 혼란도 끝이다. 이제라도 집으로 돌아가면 된다. 지훈은 버스가 있는 큰 도로를 향해 걷기 시작했다. 걷는 동안에도 자꾸만 아랫배가 꿈틀거리며 뭔가 올라오려 하고 있었다. 빨리 집으로 돌아가야 한다. 걸음을 빨리하는 지훈 옆으로 어느새 영선이 바짝 따라 걷고 있었다.

"수철이를 서울에 있는 큰 병원으로 데려간다고 했어요. 이탈리아에서 의사가 왔데요. 며칠 내에 수술을 받게 될 거예요. 그 전에 찾아야 해요. 나 없으면 수철이는 아무 말도 할 수 없어요. 수술받기 싫다는 말도 못 할 거예요."

계속 귓가에 부딪히는 영선의 말을 무시하고 지훈은 버스정류장에 섰다. 다행히 곧 버스가 도착한다는 안내방송이 떴다. 영선은 지훈의 옆에서 지훈에게 더듬더듬 말을 이어가고 있었지만 지훈은 개의치 않았다. 들리지도 않았다. 버스가 도착하면 지난 며칠간의 악몽에서 깨어날 수 있다고 생각했다. 버스가 도착했다. 지훈이 버스에 올라탈 때 등 뒤에서 영선의 목소리가 분명히 들렸다.

"도와주세요. 나 좀 모자란 사람이에요."

목소리는 떨리고 있었다. 지훈이 올라탄 버스에서 창 너머로 내다봤을 때 영선의 눈빛과 마주쳤다. 아주 짧은 순간이었다. 아주 짧은 순간 지훈은 영선을 두고 온 것을 후회했다. 버스는 출발했다. 바로 출발하지 않았다 해도 그녀에겐 버스를 탈 돈도 없을 것이다. 지훈은 자리에 앉아 크게 숨을 내쉬었다. 창밖으로 영선이 멀어지고 있다.

젠장. 지훈은 처음으로 욕을 했던 것 같다. 엉덩이에 따끔거리는 침을 맞고 있는 듯 가만히 앉아 있을 수가 없었다. 하차벨을 누르고 다음 정거장에 내렸다. 가능한 천천히 한 정거장을 되돌아 걸어갔다. 정류장에 도착했을 때 제발 없어라. 이미 다른 곳으로 가버리고 없어라. 그렇게 중얼거리며 그 정류장에 도착했을 때 영선이 조금 전과 정확히 같은 자세로 서 있었다. 영선은 지훈을 보자 웃었다. 그리고 고개를 숙여 인사를 했다.

"나도 좀 모자란 사람이에요. 한 번도 누굴 도와 본 적이 없어요. 내가 잘 할 수 있을지 모르겠어요."

지훈은 더듬거리며 말했지만, 영선도 알아버렸다. 그녀를 이해할 수 있는 사람은 이 세상에 지훈밖에 없다는 것을.

9.

4월 30일 서울 보광동

도형사는 최형우의 은행 계좌 인출 지역을 좁히고 좁힌 결과 인출 기록이 잦은 ATM 앞에서 잠복을 하고 있었다. 이태원과 가까운 지역이었지만 보광동은 완전히 분위기가 달랐다. 외국인들과 이국적인 바가 가득한 이태원과는 다르게 보광동은 시장과 싼 물건을 파는 마트와 점집들이 많았다.

잠복 이틀째.

오늘쯤이면 최형우가 돈을 찾으러 올 것이다. 최형우는 약 2년간 돈을 인출하는 주기가 비슷했다. 거의 같은 장소와 시간대였다. 느긋한 마음으로 ATM기기 쪽을 바라보고 있는데 한 남자가 기기 쪽으로 다가선

다. 40세 정도의 남자로 나이대는 최형우와 비슷해 보였다. 얼굴을 보면 단번에 알 텐데. 도형사는 초조한 마음으로 남자가 돈을 뽑고 돌아서기를 기다린다. 마침내 돌아서는 남자의 얼굴을 본 도형사는 안심하고 고개를 돌렸다. 40세의 남자가 저만치 멀어질 때까지도 도형사는 추호도 의심하지 않았다. 그러다 퍼뜩 정신이 들었다. 저 남자가 최형우다. 도형사의 눈에 남은 남자의 잔상을 더듬었다. 그는 최형우였다.

단지 도형사의 예상과 다르게 최형우는 오종종하고 비열한 인상이었다. 사진을 꺼내 비교해 봐도 8년 전 최형우와 지금의 최형우는 같은 사람임이 틀림없지만, 인상은 너무나 달랐다.

인정하고 싶지 않았지만 김 선생이 했던 말이 맞았다. 최형우는 선생님을 했던 사람이라고는 도저히 생각할 수 없을 정도로 비열한 인상이었다. 말라붙은 얇은 입술은 그 입술 사이에서 나오는 어떤 말도 믿을 수 없을 만큼 불안해보였다. 허여멀건 한 얼굴에 뿔테 안경을 쓰고 삐쩍 마른 몸은 그대로였지만, 사진 속에서 도형사가 봤던 최형우의 모습은 온데간데 없었다. 지난 8년이라는 시간 동안 그나마 남아 있던 최형우의 소심하고 학구적인 기운들은 모조리 사라져 버리고 얼굴에 드리워진 표정마저 궁핍한 인상을 풍겼다. 8년 동안 최형우에겐 어떤 일이 있었던 것일까. 그는 어떻게 살아왔기에 이토록 다른 사람의 모습이 되어있을 수 있단 말인가.

도형사는 최형우를 쫓는 것조차 잊고 8년 전의 사진과 최형우의 모습만 번갈아 바라보면서 멍하니 앉아 있었다. 그때 도형사의 차 뒤에서 빵 하는 경적소리가 울렸다. 뒤에 선 운전자가 몸을 반쯤 꺼내고 소리 지를 준비를 하는 모습이 보였다. 도형사는 얼른 손짓으로 미안하다고 하며 차가 빠질 수 있도록 유도했다.

최형우는 복덕방 옆 골목으로 들어가더니 빨간색 점집 깃발이 붙은 집에서 우회전, 이내 좌회전해서 골목 위쪽으로 올라간다. 다닥다닥 붙은 오래된 다세대 주택들 사이에서 도형사는 길을 잃을까 불안했다. 다시 이곳을 찾아오려면 길을 기억할 수 있도록 주변을 잘 살펴야 한다. 하지만 특색 없이 낡은 다세대 주택들을 구별 짓기란 쉽지 않았다. 언덕 아래에 위치한 작은 구멍가게에서 맥주와 아이스크림을 산 최형우는 가게 앞 평상에 앉아 하드 하나를  쪽쪽 빨아 먹는다. 나이 마흔이나 먹어서 막대 아이스크림을 쪽쪽 빨아먹는 모습에 도형사는 저도 모르게 인상이 찌푸려졌다. 다 먹은 최형우는 막대를 아무렇게나 던지고서는 다시 언덕길을 올라갔다. 언덕을 다 오르기 전 전봇대 옆 대문으로 들어갔다.

반지하 창문에 불이 켜졌다.

최형우는 종일 집에만 있었다. 딱히 일을 하고 있진 않았지만 슈퍼를 나갈 때도 깔끔한 모양새를 유지하려 애를 쓴 흔적이 역력했다. 남들에게 일도 없이 노는 백수건달로 보이긴 싫은 것이다. 그렇다고 백수의 그림자가 가려지는 것도 아닌데.

내내 외출도 않는 최형우의 집 앞을 지키고 있는 일은 도형사에겐 고역이었다. 주기적으로 드나드는 사람은 최형우와 함께 사는 사람으로 여겨지는 살집이 있는 여자다. 여자는 어딘가로 출근을 하는 듯 매일 아침 7시에 집을 나섰고 정확히 7시에 장거리를 사 들고 들어왔다.

도형사는 창문으로 최형우의 집안을 들여다봤다. 희끄무레한 어둠 속에서 창문 쪽을 향해 앉아 있는 최형우를 보곤 도형사는 급히 몸을 낮추었다. 이내 다시 조심스럽게 몸을 일으켜 방안을 들여다보니 최형우는 창문 아래쪽에 있는 컴퓨터에 완전히 집중하고 있었다. 그의 눈빛은 한 곳에 고정되어 있었고 힘없이 벌어진 입가에는 침방울이 불안하게 매달려 있었다. 최형우는 종일 컴퓨터로 게임을 하고 있었다. 방안을 더 둘러보고 싶었지만 창문 사이 틈이 너무 작아 시야가 확보되지 않았다.

마침내 최형우가 외출을 했다. 최형우는 이태원 치킨 매장에서 누군가를 기다리고 있었다. 단정해 보이는 머리와 가냘픈 얼굴선, 몸에 헐렁하게 떨어지는 스웨터와 때늦은 골덴바지가 최형우를 조금은 고리타분하고 안전한 사람이라는 느낌을 풍기게 만들었다. 그 옷차림 때문에 최형우가 실패한 작가나 진짜 나이 든 고시생 같은 느낌을 풍기게 만들었지만, 그 얇은 입술만은 어찌할 수가 없는 거라고 도형사는 생각해 버렸다.

도형사는 처음 본 순간부터 그가 마음에 들지 않았

다. 형사가 이러면 안 된다는 것을 알고 있지만 이미 최형우의 얼굴이 범죄를 저지를 상이라고 확신했다. 하지만 마음에 들지 않는다고 증거도 없이 체포하거나 할 수는 없는 일. 도형사는 꾹꾹 누르며 최형우를 지켜보고 있었다.

기껏해야 여중생일 법한 소녀가 최형우에게 다가와 몇 마디 말을 건넸다. 최형우는 떨떠름한 표정으로 여중생을 맞이하더니 나란히 앉아 몇 마디 대화를 나눴다. 여중생은 최형우에게서 일정한 거리를 유지한 채로 대답과 고개를 끄덕이는 행동을 반복했다. 긴장하는 기색이 역력했다. 최형우는 시종 얌전한 자세로 앉아 있다가, 중요하지 않은 순간에-가령 여중생이 흐트러진 머리를 묶으려 양손을 올리자 치마가 살짝 올라갔다. 머리가 흐트러졌다고 말한 것은 최형우였지만 최형우의 시선은 여중생의 치맛자락에 꽂혀 있었다. 최형우는 아주 집요한 사냥을 하는 동물처럼 치맛자락을 노리고 있다가 엄지와 검지로 치맛자락을 살짝 잡고서 올라간 만큼 끌어 내렸다. 그 사이 형우의 손가락이 여중생의 허벅지에 닿았지만, 그녀는 알아채지 못했다.- 순식간에 공략하는 식이었다. 하지만 최형우의 동작은 너무나 부드럽고 자연스러워서 마치 선생님과 제자가 다정하게 진로상담이라도 하고 있다는 느낌을 준다는 것이 놀라웠다.

이건 며칠 동안 최형우를 관찰하면서 도형사도 전혀 예상치 못한 모습이었다. 최형우의 진의를 알아채지 못한 여중생은 안전하다고 느껴졌는지 눈에 띄게 긴장을 풀어가고 있었다. 더 무서운 것은 이후에 최형우가 오른손을 여중생의 허벅지에 가볍게 얹어 놓았는데, 여중생은 이를 보고도 아무런 불편한 기색이 없었다. 몇 번의 무의식적인 접촉으로 여중생은 의심없이 최형우의 손을 받아들이고 있었다. 하지만 이러한 엄청난 성과에도 불구하고 최형우의 얼굴에는 뻐기거나 승리를 만끽하는 표정이 전혀 없었다. 오히려 그는 처음 여중생을 만났을 때 보다 쓸쓸해 보였다.

왜?
도형사는 묻고 싶었지만 그러지 못했다.

도형사는 한 번도 최형우가 다다른 승리의 지점에 가본 적이 없었다. 그 생각에 이르자 도형사는 얼굴이 달아오를 만큼 부끄러워졌는데, 어떤 이유로 부끄러워진 것인지 이유를 알기가 어려웠다. 여중생의 허벅지를 만지고 싶다는 생각은 맹세코 단 한 번도 해 본 적이 없다. 그러니 부끄러워하지 않아도 돼. 그런데 무엇이 부끄러운 거지? 그것을 '승리'라고 표현해서? 누군가의 신뢰와 마음을 얻는 일이라고 하자. 그것도 아니라면 벽을 허물고 들어가 허물없이 앉았던 사람이 없어서?

도형사는 중학생 시절에 첫사랑에 빠졌었다. 지금도 그녀를 처음 만났던 순간을 아주 세세한 부분까지 설명할 수 있을 정도로 기억하고 있지만 한 번도 입 밖으로 내어 본 적은 없었다. 어쩌면 그건 존재하는 기억이 아닐지도 모른다. 아니, 아무렴 어떠냐. 도형사의 머릿속에서만 존재한다는 것이 첫사랑의 실체를 부정하는 것은 아니지 않은가. 그 기억은 온전히 도형사의 것. 세상 아무도 모르는 일. 누구도 기억의 소유권을 주장할 수 없는 온전한 '도형사의 것'이었다. 그것만으로 도형사는 만족했다. 도형사의 머릿속에서 그녀는 그만의 것이었다.

치킨 가게를 나선 최형우와 여중생은 근처에서 헤어졌다. 여중생은 최형우를 향해 가볍게 인사를 했고 최형우 역시 여중생을 향해 깊이 고개를 숙였다. 버스 정류장을 향해 걸어가던 여중생은 잠시 뒤돌아 최형우를 바라봤다. 최형우는 일부러 여중생의 시선을 받아내지 않았다. 최형우의 태도는 지나치게 정중하고 차가웠다. 최형우는 여중생에게 무엇을 원하는 것일까 의문이 드는 지점이었다.

여중생은 버스를 타고 가버렸고, 최형우는 버스정류장에 혼자 앉아 몇 대의 버스를 그냥 보냈다. 복잡한 도로를 바라보는 멍한 표정이 마치 실연이라도 당한 모양새였다. 도형사는 아까부터 화장실에 가고 싶었다. 최형우가 가만히 있는 시간이 길어질수록 도형사의 요의는 숨길 수 없이 강해졌다. 차라리 최형우가 달아나기라도 했으면 좋겠다는 생각이 드는 순간, 버스에 올라타는 최형우의 뒷모습이 보인다. 순간이동이라도 한건가? 도형사가 버스를 향해 몸을 움직이는 순간, 치킨 가게 사장이 뛰쳐나왔다.

“이거 누구 차예요? 누가 남의 가게 앞에 차를 이렇게 세워두는 겁니까?”

사장은 익지 않은 닭의 속살처럼 벌건 얼굴로 두리번거렸다.

"이제 빼려는 참입니다."

버스는 떠나버렸다.

부랴부랴 차를 몰고서 버스를 쫓았다. 다음 버스정류장에서 버스를 기다려 최형우가 타고 있는지를 확인해본다. 그는 보이지 않는다. 어디에서 내렸을까. 도형사가 지나친 정류소는 두 개인데 그 둘 중 하나에서 최형우는 내렸을 것이다. 삼각지 아니면 전쟁기념관. 되돌아가야 한다고 생각하면서도 왼손은 핸들을 지나치게 돌리고 있었다. 어, 이러면 안되는데 하면서도 도형사는 이미 다른 차선에 올라타 있었다. 모두 효창공원으로 향하는 운명이다.

차를 다시 돌리는 데만 20분이 걸렸다. 유턴하는 곳을 찾지 못했다. 어디서 그렇게 나왔는지 꾸역꾸역 도로로 밀려 나오는 차들 사이에 갇힌 도형사는 핸들에 머리를 박고 한숨을 쉬었다. 뒤에서 유턴을 기다리던 차가 빵 경적을 울렸다. 번쩍 고개를 든 도형사는 서둘러 핸들을 돌렸지만, 최형우를 따라잡기엔 너무 늦었다는 것을 알고 있었다.

귀신에라도 쓰인 것처럼 도형사의 등줄기에서 자꾸만 식은땀이 흘러내렸다. 형사가 해서는 안 될 질문이 자꾸만 떠올랐기 때문에 괴로웠다.

최형우를 쫓아도 될까?

왜 이런 질문을 하고 있는거야?

-사건 현장의 여중생 교복에서 피해자의 혈흔과 20대 초중반의 여자 머리카락과 다량의 각질과 세균성 미생물 검출.

-사체 부검 결과 사인은 독극물.

-사체 위에서 소량의 버섯 발견

국립과학수사연구소에서 받은 부검 결과다. 급행을 그렇게 부탁했건만 결과를 받기까지 열흘이나 걸렸다. 지방에서 올라온 사건이라고 홀대하는 건가 하는 생각에 화가 치밀었지만 싸워 좋을 건 없다. 부검결과 독극물이 발견됐으므로 사체와 위에서 발견된 버섯은 다시 원주의 국립과학수사연구소로 보내 검사를 해야 했다. 도형사는 원주 국립과학수사연구소에 전화를 걸어 보통 한 달씩 걸리는 감식을 더 빨리 처리해 달라고 요청했다. 아니나 다를까 요새 전국 도처에서 밀려온 독극물 살해 사건 때문에 밀린 사건이 많아 힘들다는 답변이 돌아왔다. 전국 도처에서 독극물 사건이 밀려들다니. 그런 게 유행일 리도 없지 않은가 하는 생각을 했지만, 입 밖으로 내진 않았다.

정성일의 목이 끊어질 정도의 심한 상처에도 불구하고 피가 벽에 튀지 않고 바닥으로 흘렀던 이유를 이제야 이해하게 된 것으로 성과는 얻은 셈이다. 칼로 찌르기 전에 이미 정성일과 차순영은 죽었다.

20대 초중반의 여성이라면 정수철과 비슷한 나이대의 여자이다. 다량의 각질로 보아-그녀가 만약 범인이라면- 교복의 주인은 교복을 입은 채로 사건 현장에 왔다가 범행이 끝난 후 피 묻은 교복을 벗어 놓고 옷을 갈아입은 채로 떠났다는 동선이 가능하다. 하지만 보통의 범인이라면 범행의 증거물이자 자신의 존재가 드러날 수 있는 교복을 현장에 남겨두고 가진 않을 것이다. 교복의 주인이 범인일까? 20대 초중반의 여성이 왜 여중생의 교복을 입고 온 것일까? 그녀가 이렇게 잔인한 사체 훼손까지 했다는 것을 믿기는 힘들지만 불가능한 것은 아니다.

교복의 주인을 찾는 일은 처음부터 미궁에 빠진 채

였다. 도형사는 최형우의 집 앞에 다시 차를 세우고, 국과수에서 찾아온 비닐에 쌓인 여중생 교복을 물끄러미 쳐다봤다. 신데렐라의 구두 같은 건가. 이 교복에 맞는 여자를 다 찾아봐야 하나? 최형우가 치킨 집에서 만났던 몸에 딱 맞는 교복을 입은 여중생의 모습이 떠올랐다. 도형사가 학교를 다닐 때에는 바지통이 넓은 것이 유행이었다. 지금처럼 저렇게 딱 맞게 입는 것은 오히려 촌스럽다 생각했었다. 그러다 문득 뭔가 생각 난 듯 전화기를 들었다. 김순경이 튀어 오르듯이 대답했다.

"네 도형사님!"
"김순경! 사건 현장 사진 그대로 다 가지고 있지?"
"그럼요."
"그 교복 사진 가지고 교복가게로 가서 대충 몇 년도 유행 교복인지 알아봐."

잠시 후, 김순경으로부터 다시 전화가 왔다. 사건 현장에 있던 그 교복은 2006년에 제작된 것이라고 한다. 요즘은 그런 교복을 입는 학생이 없을 거라고. 도형사의 짐작대로다. 정수철이 도계중을 다니던 때는 2007년. 1년의 차이다. 1년의 차이를 염두에 두고 생각을 해본다면, 여중생 교복의 주인은 정수철과 같은 시기에 학교를 다닌 정수철 또래일 것이다. 그리고 그 교복을 8년이 지난 지금도 입을 정도면 육체적으로 거의 자라지 않았다고 볼 수 있다. 어쩌면 영양결핍 같은 문제가 있을 수도 있다.

도형사는 김순경에게 2007년 정수철과 함께 도계중을 다녔던 그 학년의 사람들을 모두 수소문해서 가능하면 많이 찾아달라고 부탁을 했다. 아무리 삼척 토박이 김순경이라 해도 쉽지 않을 거라는 걸 알고 있지만, 지금으로선 딱히 다른 방법이 없었다.

도형사는 다시 한번 현장을 보고 싶다는 생각이 들어 김순경에게 최초 현장 사진을 휴대폰으로 전송해달라고 부탁했다.

"도형사님, 이제 그만 내려오세요. 여기도 저 혼자선 너무 힘들어요."

"왜? 또 무슨 일이 생겼어?"

"아니요. 꼭 그런 건 아닙니다. 그냥 도형사님이 안 계시니까 허전해서요."

"증거를 잡아야 내려가지."

“증거가 나올 때까지 잠복을 하겠다는 말씀이십니까?”

김순경의 말에 도형사는 대답이 없었다.

“도형사님”
“알겠어. 빨리 처리하고 내려갈게.”

김순경은 조금 시무룩한 느낌으로 전화를 끊었다. 김순경이 맞다. 마냥 최형우만 바라보고 있다는 건 현실적으로 말이 안 되는 상황이긴 했다. 아무리 지구대라고 해도 김순경 혼자 두는 것도 말이 안 되는 일이었다.
전화를 끊고 나자 도형사의 마음은 더 초조해졌다. 최형우가 무슨 일이라도 벌여줬으면 하는 생각이 들 정도였다.

10.

게스트하우스에 묵고 있는 관광객들은 대부분 아침을 먹자마자 외출을 했다. 퇴실을 한 손님이 많은 날은 할 일이 많았다. 침대와 이불보, 베개보를 모두 벗겨내고, 이전에 아무도 그 방에 머물지 않았던 것처럼 먼지를 모두 닦아냈다. 머리카락이나 체모들을 남김없이 제거했다. 경숙은 침대 아래까지 허리를 굽혀 꼼꼼하게 쓸어냈다. 침대 틈 사이에 끼인 것들도 일일이 확인했다. 경숙에게 인수인계를 했던 사람은 이 정도까지 유난을 떨지 않았다. "눈에 띄지 않을 정도만"하면 된다고 했지만, 경숙은 전임자의 경험을 믿지 않았다. 그가 옳다면 왜 사장이 새로운 사람을 구했겠는가. 전임자는 다시 만날 일 없을 경숙에게 이 게스트하우스는 지나치게 까다롭고 일이 많다고 불평을 늘어놓았다. 이 게스트하우스는 다른 곳에 비해 일당이 높은 편이었다. 일당이 높으니 일이 많은 것은 당연한 일이다. 세상에 공짜로 주어지는 것은 없다. 머리 쓸 일이 없어 몸을 쓰는 일만 하며 살아온 경숙이 알고 있는 몇 안되는 세상의 규칙이기도 했다. 세상에 공짜는 없다. 돈은 딱 몸이 힘든 만큼 주어졌다. 몸을 써야 할 일에 머리를 써버리는 건 규칙 위반이었다. 육체 노동의 세계야말로 정직이 최선이었다.

이제 막 새로 문을 연 게스트하우스의 객실처럼 말끔하게 정리된 모습을 보니 기분이 좋아졌다. 경숙은 처음 이곳에 왔을 때 사장이 건넨 매뉴얼이 적힌 코팅지를 꺼내 손가락으로 더듬어 가며 하나하나 확인했다. 이미 1년이나 일을 해서 눈에도 손에도 익을 만큼 뻔한 것들이었지만 경숙은 감으로 해치우는 법이 없었다.

일은 끝이 없었다. 객실 청소가 끝나면 아침 식사가 끝난 부엌과 식당 청소, 복도와 계단, 간밤에 사람들이 술을 먹거나 파티를 하며 어질러 놓은 공용 휴게 공간 청소가 끝나면 마지막으로 화장실과 욕실이 기다리고 있었다. 그렇게 정신없이 청소를 마치고 나면 옥상이 기다리고 있었다. 그곳 역시 술병과 커피잔, 과자 등이 어지러져 있기 일쑤였다. 옥상은 경숙이 제일 좋아하는 곳이었다. 발 아래 층층이 쌓인 집들을 내려다보는 일이 좋았다. 하지만 그곳에서도 경숙은 게으름을 피우는 법 따윈 없었다. 자기 덩치보다 큰 빈백 소파들을 일일이 털어 모양을 잡아 앉혔고, 아무리 닦아내도 먼지 투성이인 탁자를 지치지도 않고 닦아냈다. 눈처럼 하얗게 세탁된 이불보들을 옥상 한 켠에 널고 나면 겨우 한숨 돌릴 시간이 찾아왔다.

그런 마경숙의 인생에서 잊을 수 없는 순간은 느닷

없이 찾아왔다. 최형우를 처음 만났을 때, 최형우는 마경숙의 밥 위로 갈치살을 발라 올려주었다. 평소라면 생선은 손에도 대지 않던 마경숙이었지만 이번에는 달랐다. 마경숙이 놀라 최형우를 물끄러미 바라보자 최형우는 어서 먹으라는 듯 손짓을 하며 웃어주었다. 촌스럽다고 할지도 모르겠지만 마경숙은 갑자기 눈물이 쏟아져버렸다. 식당에 앉은 사람들이 다 쳐다보자 최형우는 좀 당황스러워했다. 마경숙에게 이런 남자는 처음이었다.

마경숙의 외모는 그다지 내세울 것이 없었다. 체격은 건장했고 키도 컸다. 나이가 들면서 배도 많이 나와버렸다. 거칠어 보이긴 했지만, 얼핏 보아서 나이를 짐작할 수 없는 외모였다. 예쁘고 안 예쁘고를 떠나서 나이보다 훨씬 어리게 꾸민 모양새였는데, 이 세련되지 못한 어설픈 꾸밈새가 사실 마경숙에게 어울렸다.

아마 마경숙의 친구들에게 형우를 애인이라고 소개했다면 땡잡았다고 부러워했을 것이다.-만약 그녀에게 친구들이 있다면 말이다.- 마경숙과는 정반대로 호리호리한 몸매에 나이도 경숙보다 3살이나 어린 데

다가 곱고 하얀 피부를 가지고 있었다. 마경숙은 최형우를 만난 이후로 외모에 신경 쓴다고 썼지만 원래 피부가 검은 편인데다가 일을 하다 보면 외모에 신경 쓰기도 쉽지 않았다. 그런데도 최형우는 그런 것에 별로 신경 쓰지 않는 눈치여서 좋았다.

최형우는 가난했다. 숨기는 것이 있는 사람보다는 가난하고 정직한 사람이 같이 사는 사람으로는 더 나았다. 적어도 마경숙에겐 그랬다. 하지만 이런 남자도 경숙이 만났던 다른 남자들과 같은 점이 있다면 마경숙이 경제적 부담을 책임져야만 한다는 사실이었다. 연하의 애인은 종일 방구석에 들러붙어 밥만 축내기 일쑤고 일은 할 생각 따위 하지 않았다. 그걸 모르는 바도 아닌데 경숙은 최형우의 그런 행동들을 모른 척 눈 감고 있었다. 최형우가 행정 고시를 준비한다는 말을 의심의 여지 없이 믿고 있기 때문이었다.

최형우는 경숙이 만났던 사람 중에 가장 똑똑한 사람이었고 책도 가장 많이 본 사람이었다. 예의도 가장 발랐다. 그런 사람이 그깟 행정 고시 하나 패스하지 못할까. 애초부터 공부랑은 담 쌓은 경숙이지만 그렇기에 더더욱 공부 잘 하는 사람들을 동경했다.

경숙의 기준에서 이토록 공부 잘 하는 사람은 만나본 적이 없었다. 경숙은 자신이 뒤늦게 만난 최형우를 어떻게든 출세시켜 보리라 맘먹었다. 1년만 참고 버티면 된다고 했던 최형우는 2년이 넘어가도록 아직 그대로이지만 말이다.

느지막이 잠에서 깬 최형우는 경숙이 차려놓고 간 아침을 먹고는 컴퓨터 앞에 앉았다. 채팅창을 켰지만 오늘 따라 대화가 이어지지 않고 자꾸 끊기거나 이유 없이 접속을 끊고 나가버리거나 하는 일들이 잦았다. 도무지 채팅에 인내심을 발휘할 맘이 들지 않았다. 지갑을 열어봤다. 아니나 다를까 천 원짜리 몇 장뿐이다. 휴대폰 문자가 울렸다.

'선생님, 오늘 몇 시에 봐요?'

그 여중생이다. 최형우는 방안을 샅샅이 뒤져봤다. 원래 의심이 많은 경숙은 돈을 집에 두고 다니지 않았다. 잘 때도 복대처럼 몸에 두르고 자야 직성이 풀리는 여자였다. 그래도 혹시나싶어 이불 밑이며 장롱 아래를 뒤져봤지만, 동전 하나 나오지 않았다.

'내일 볼까?'

답장은 한참 뒤에 시큰둥한 느낌으로 그러자고 왔다. 여중생의 맘이 바뀔 것 같은 불길한 예감이 들었다. 여자들의 시큰둥한 '예스'는 '노'와 다름없었다.

오늘은 경숙에게 잘 보여야겠다고 생각한 최형우는 옷을 갈아입고 시장으로 향했다. 잔돈까지 탈탈 털면 생선 한 마리 살 돈은 될 것이다. 경숙은 생선구이를 좋아했다. 갈치까지는 힘들겠지만 고등어 정도는 살 수 있을 것이다.

경숙은 자기 집에 들어설 때면 언제나 몇 개의 문을 밀치고서야 현관에 도달할 수 있는 대저택에 들어서는 것처럼 조금은 거만한 표정을 지었다. 경숙은 어두컴컴한 방문을 여는 순간을 좋아했다. 그 안에서 오도카니 자신만을 기다리고 있는 최형우의 희멀건한 얼굴을 기대하는 일이 좋았다. 최형우의 얼굴은 어둠 속에 뜬 초승달처럼 힘이 없고 가냘펐다. 언젠가는 보름달이 되겠지만 경숙은 보름달이 됐을 때에도 지금을 더 사랑할 것 같았다. 누구나 인생의 황금기와 같은 순간이 있다면, 최형우와 경숙 자신의 그때는 지금이라고 생각했다. 서로만 바라보며 달릴 수 있을 때. 가난하지만 꿈을 가진 신혼부부. 그 생각을 하다가 경숙은 풋 소리를 내며 웃었다.

"이게 무슨 냄새야? 고등어를 구웠어?"
"응. 자기 좋아하잖아."
"웬일이야? 저녁상을 다 차려놓고?"
"자기 배고플까봐."

말끝마다 자기를 붙이는 것을 보니 오늘은 뭔가 할 말아 있는 것 같았다. 아니면 돈이 필요하거나. 경숙은 말없이 상 앞에 앉아 수저를 들었다. 고등어 살을 발라 입안에 밀어 넣자 쿰쿰하고 비릿한 냄새가 번졌다. 요즘 상한 생선을 사기도 쉽지 않을 텐데, 최형우는 어디서 이런 싸구려 생선들을 잘도 사 왔다. 사 오는 건지 얻어오는 것인지 알 수 없지만, 매번 이런 식이었다.

"어때?"

최형우는 고등어가 경숙의 입안으로 사라지기 무섭게 물었다.

"맛있어. 어떻게 이렇게 잘 구웠어?"

경숙은 꿀꺽 삼켜버리며 대답했다. 최형우는 숟가락으로 깨작거리고만 있었다. 자기도 먹기 싫은 음식을 차려놓고 경숙더러 먹으라는 것이 얄미웠지만, 경숙은 내색하지 않았다. 정작 최형우는 어떻게 말을 꺼낼까 경숙의 눈치를 살피고 있었다.

"저기 있잖아... 자기, 나 돈 좀 줄 수 있어?"
"돈?"

경숙은 그런 단어는 처음 들어본다는 표정으로 되물었다. 최형우는 경숙을 '엉큼한 년'이라고 생각했지만, 겉으로는 귀엽다는 표정을 지었다. 경숙은 그런 표정으로 자신을 바라봐 주는 것을 좋아했다.

"얼마나?"
"한 십 만원 정도?"
"나 그 정도 현금은 없는데, 아직 월급날도 멀었고."
"그렇지..."
"그런데 무슨 일이야? 형우씨 과외 알바 하던 거

그만뒀어?"

"어 그게... 그렇게 됐어."

"어쩌다가?"

"난들 아나. 과외가 더 필요 없데."

"아이 참 큰일이네. 나도 매달 적금에 방 월세에, 형우씨 인터넷 강의 비용까지 빠듯한데 말이야. 박선생님한테 부탁해보지 그래. 자기라면 끔찍이 아껴주시잖아."

최형우는 입술을 움찔거렸지만 딱히 대꾸를 하진 않았다.

"그래서 말인데 인터넷 강의를 그만 둘까봐."

"시험이 언제야?"

"어... 9월이던가..."

"이번엔 꼭 붙을 수 있어. 난 형우씨 믿어."

최형우는 경숙의 계략에 넘어가지 않으려 정신을 차렸다. 돈에 관한 한 경숙은 냉정했다.

"이미 몇 번 들었던 내용이라 혼자서도 할 수 있을 것 같아."

"그러엄. 형우씨는 똑똑하니까."
"그러면 내 용돈 정도는 줄 수 있는 여유가 생기지 않을까?"
"여유가 생기면 저축을 해야지. 월세에 생활비까지 전부 내가 내고 있는데 형우씨 용돈까지 나보고 달라는 건 좀 그렇지 않아?"
"누가 달래나. 빌려주는 셈 치는 거지. 내가 시험에만 합격하면 세상이 달라지는 건데. 지금까지 자기가 고생한 거 다 갚아줄거야. 그것뿐인가. 경숙씨 일도 다 그만두게 할거야. 손에 물도 안 묻히고 살게 할거야. 그게 내 꿈이야."

경숙의 우물거리던 양 볼이 멈췄다.

"정말? 그런 날이 올까?"
"난 그러길 바래."
"하지만 형우씨는 두 번이나 시험에 떨어졌잖아."
"운이 나빴어. 2점 차이로 떨어졌다니까. 잊었어?"
"그냥 다시 선생님을 하는 건 어떨까? 짤릴까봐 불안한 과외보다는 학교 선생님이 낫지. 안 그래? 그럼 우리 기다릴 필요도 없고. 사실 나도 남이 잔 이불 퍼덕거리면서 청소하는 거 이젠 신물 나."

경숙이 눈치 빠르게 불만을 토로하자 최형우는 아뿔싸 싶었다.

“왜, 깨끗하게 청소하는 일이 얼마나 대단한 일인데. 난 그런 자기가 참 대단해.”
“매일 말로만 그러지. 형우씨는 청소일 안 해봤잖아. 사람들이 얼마나 무시하는데.”
“누가 무시해? 누가 우리 경숙씨를 무시해. 감히. 우리 경숙씨 화나면 얼마나 무서운데.”
“내가 언제 형우씨한테 화냈다고?”
“우리 자기는 나한테만 다정하지.”
“그걸 알아?”
“그럼. 난 경숙씨 마음 다 알아.”

경숙은 그것이 빈말이라 해도 기분이 나쁘지 않았다. 오히려 속이 보이는 최형우의 뻔한 애교에 경숙은 아랫배 안쪽이 뜨거워지며 몸이 더워지는 것을 느꼈다. 옷을 좀 벗어볼까 싶었지만 최형우가 원치 않는다는 것을 알고 있었다. 말로는 입속의 혀처럼 굴었지만 최형우는 경숙과의 섹스에는 냉담했다. 경숙이 아무리 홍홍거려도 최형우는 발기는커녕 얼굴의 표정조차도 달라지지 않았다. 그렇다고 경숙을 사랑하지 않는 것은 아니었다. 그것만은 분명했지만, 경숙은 다정한 말 대신 뜨거운 섹스를 포기해야 했다. 세상에 완벽한 사랑이란 건 없었다. 경숙은 그 말을 떠올리며 자신의 풍성한 왼쪽 가슴을 쓸어 내렸다. 어쩌면 경숙의 가슴이 꽤나 근사하다는 것은 앞으로 영원히 비밀에 묻히게 될지도 모르겠다. 뜨거운 섹스를 하지 못한다는 이유로 최형우를 포기하고 싶은 마음은 눈꼽만큼도 없었으니까.

최형우는 무슨 속셈인건지 상을 치우고 설거지까지 해버렸다. 형광등도 나간 부엌에서 철벅철벅 설거지를 하는 최형우의 뒷모습을 보고 있자니 경숙은 자기도 모르게 웃음이 나와 버렸다. 정확한 표현인지 모르겠지만, 조금 행복한 것 같았다. 그와 동시에 눈앞이 핑 돌며 어지러워졌다. 세상이 깜깜해지며 최형우의 빛바랜 누런 티셔츠만 금가루를 뿌려놓은 것처럼 빛나고 있었다. 맙소사, 내가 미쳤나봐. 난생 처음 드는 기분에 경숙은 눈물이 주룩 흘렀다. 맙소사, 기껏해야 설거지하는 남자 때문에 울다니.

최형우가 설거지를 끝내고 돌아봤을 때, 경숙은 평소의 그 무던한 표정으로 오래된 스웨터의 보풀을 뜯어내고 있었다. 야무진 경숙의 손은 형우의 스웨터에 작은 보풀 하나 남겨 두지 않았다. 그 덕분인지 그다지 비싸지 않은 스웨터가 오래된 명품처럼 보였다. 경숙 나름의 형우를 향한 사랑의 표현이었지만, 정작 형우는 알아 차리지 못했다.

경숙은 어둠 속에서 자신의 몸을 더듬는 손길을 오해하며 귀찮은 시늉을 했다.

"아이 잠 좀 자자."

"자기, 지갑 어딨어?"

"으으??"

"경숙씨 지갑 어딨냐고? 나 약속 있어서 나가야 되는데 차비가 없어."

"지갑이 어디 있겠지"

"없어. 없으니까 내가 이러지. 그러지 말고 나 오만 원만 줘."

"이 밤에 어딜 간다 그래. 그냥 자."

"아니면 삼만 원만 줘. 금방 들어올 거야. 원래 오늘 들어오기로 한 돈이 있는데 며칠 늦어져서 그래. 큰 돈 들어올 거니까 금방 갚을게."

"없다니까."

시계를 보니 거의 1시였다. 눈을 감았다가 갑자기 부아가 치밀어 오른 경숙은 자기도 모르게 버럭 소리를 질러버렸다.

“공부 안 해? 시간 남으면 공부를 더 해. 시험 며칠 안 남았다더니 이번에도 떨어지면 이 집에서 쫓겨날 줄 알아. 남자 구실도 제대로 못하는 게 공부라도 잘 해야지”

경숙의 등 뒤에서 씩씩거리는 거친 숨소리가 들려왔다. 경숙은 어라 하는 표정으로 뒤를 돌아봤다. 최형우는 이미 옷을 다 챙겨 입은 채로 고개를 숙인 채 숨을 씩씩거리고 있었다.

“그만 자. 나 내일 일찍 일어나야 해.”

최형우가 눕는 소리가 어둠 속에서 들려왔다. 경숙은 이내 깊은 잠에 빠져들어 최형우가 어둠 속에서 중얼거리는 소리를 듣지 못했다.
“난 가야 돼. 그녀가 기다리고 있어.”

목을 무겁게 누르는 섬뜩한 느낌에 경숙은 잠에서

깼다. 몸 위에서 최형우의 무게가 느껴졌다. 처음엔 이게 뭐 하자는 것일까 하는 혼란이 일었다. 그러다 이내 목 언저리에서 조여오는 강한 힘에 숨 쉬기가 곤란해지자, 이건 색다른 섹스는 아니라는 사실을 알아버렸다. 경숙은 본능적으로 몸을 뒤 채, 최형우를 바닥에 눕혔다. 남자라고는 해도 최형우가 경숙보다 가벼웠다. 경숙이 육중한 허벅지로 최형우의 어깨를 누르자 최형우는 꼼짝 못 한 채로 버둥거렸다.

"겨우 돈 몇 푼 때문에 여태껏 먹여주고 재워준 나를 죽이려고 해?"

경숙은 분노에 휩싸여서 더욱 세게 허벅지를 조였다. 최형우의 얼굴이 빨개지다가 점점 하얗게 질려갔다. 그때 악 소리를 내며 경숙의 허벅지가 느슨해졌다. 최형우가 손에 들고 있던 식도로 경숙의 옆구리를 찌른 것이다. 다행히 빗나가 제대로 찌르지도 못했다. 더욱 분이 치민 경숙은 그 식도를 뺏어 던지곤 최형우의 머리를 바닥에 쿵쿵 찧었다.
"날 정말 죽이려고 그랬어? 이렇게? 이렇게?"

한참을 정신없이 최형우의 머리를 흔들고 나서야

경숙은 멈췄다. 경숙이 멈추었을 때 최형우도 숨을 멈춘 것처럼 아무런 움직임이 없었다.

"형우야, 형우야 눈 좀 떠봐."

최형우의 몸은 아무런 저항 없이 경숙의 힘에 흔들렸다. 아무것도 거칠 것 없었던 경숙은 태어나 처음으로 겁이 났다. 최형우의 몸이 피로 뒤덮여 있었다. 경숙은 자신의 옆구리에서 흘러나온 피라는 생각은 하지도 못하고, 소리를 지르며 뛰쳐나갔다.

"도와주세요. 제발 도와주세요. 우리 형우가 아파요."

경숙은 피 묻은 두 손을 벌린 채로 맨발로 골목으로 뛰어나왔다. 늘 그랬듯이 그녀의 이야기를 들어주고 도움의 손길을 건넬만한 사람이 있을 리 없다는 것을 알면서도 이번만큼은 경숙도 도와달라고 말할 수밖에 없었다. 경숙은 가로등 불빛 아래에서 피로 번들거리는 두 손을 들고 흐느꼈다. 그때 기적처럼 낯선 목소리가 들려왔다.

"무슨 일입니까?"

얼핏 봐도 피곤으로 푸석해 보이는 얼굴이었지만 눈빛이 따뜻해 보이는 남자가 경숙의 양팔을 잡고 물었다. 그 눈빛이 처음 최형우를 만났을 때 보았던 것과 비슷하다는 생각을 얼핏 해버렸다. 그가 경숙의 팔을 잡지 않았다면 경숙은 그대로 쓰러졌을지도 모르겠다.

"경찰입니다."
"경, 경찰이요?"
"강원도 삼척서에 근무하고 있는 도민기 형삽니다. 무슨 일입니까?"
"우리 형우씨가 피를 많이 흘려요."

그 말과 함께 경숙은 쓰러졌다. 도형사는 경숙을 둔 채로 지하 방으로 뛰어들었다. 피 냄새는 도형사보다 빠르게 지하의 공기 속으로 스며들어 있었다. 피 냄새가 낭자한 어둠 속에서 도형사는 직감적으로 죽음을 눈치챘다. 벽을 더듬어 불을 켜자, 어지러진 이불 위에 구겨져 있는 최형우의 모습이 드러났다. 베이지색 니트에 피가 스며들어 짙은 갈색으로 변해 있었다. 최형우의 입가에서 흘러나온 토사물이 이불 위로 스며들었고, 아직도 입에 고인 것이 흘러내리고 있었다. 도형사는 최형우의 눈을 까뒤집어 보았다. 아무런 반응이 없었다. 맥박은 뛰고 있었지만 최형우는 완전히 정신을 잃은 상태였다.

도형사가 그토록 둘러보고 싶었던 최형우의 방에 드디어 들어왔다. 도형사는 마경숙이 들어오기 전에 방안을 서둘러 둘러봤다. 마치 정성일의 방의 서울 버전에 들어와 있는 것만 같았다. 이런 방들은 지역마다 하나씩은 있는 것일까.

"마치 살인 사건의 세트장같군."

119 앰뷸런스가 도착한 것은 그로부터 약 10분 후였다.

마경숙의 상처는 생각보다 깊었다. 도형사가 우려했던 것과는 달리 최형우는 가벼운 타박상 외에는 깨끗했다. 다만 돌아오지 않는 의식이 문제였다. 오히려 더 상처가 큰 것처럼 보이는 쪽은 마경숙 쪽이었다. 하지만 마경숙은 수술을 받지 않겠다고 소리를 지르며 난동을 피웠다. 장기까지는 아니어도 칼이 제법 깊숙이 찌르고 들어갔으므로 봉합 수술이 필요했지만, 마경숙은 그런 사실에 대한 설명을 듣고도 최형우 없이는 절대 마취하지 않겠다고 미친 말처럼 날뛰었다. 어찌나 거친 상소리를 쏟아내는지 의사와 간호사들은 마경숙이 입을 떼자마자 그대로 얼어붙을 정도였다. 아무도 그녀에게 말을 걸지 못했다. 밤새 그러는 통에 간호사들은 모두 녹초가 되었지만 마경숙은 조금도 지친 기색 없이 누군가 다가오는 소리만 들리면 욕을 장전했다. 그녀는 마취총을 맞기 직전의 동물 같았다. 그녀가 있는 응급실의 커튼만 누가 만져도 씨팔 썅년은 욕 축에도 못 낄 욕이 쏟아졌다.

도형사는 마경숙과 최형우를 같은 병실에 두는 것을 제안했다.

아직 의식이 돌아오지 않은 최형우와 나란히 누운 마경숙은 그제야 안정을 되찾고 욕을 멈추었다. 최형우 옆에서 그녀는 자신의 상처는 잊은 것처럼 행동했고 그 틈을 타서 간호사들은 진물이 흘러나오는 마경숙의 붕대를 바꿀 수 있었다.

"얘기 좀 나눌 수 있을까요?"

도형사는 조심스럽게 병실 문을 열며 말했다. 최형우 침대 옆에 엎드려 있던 마경숙은 도형사를 보더니 고개를 끄덕였다. 미친 말 같다던 간호사들의 말과는 달리 마경숙의 표정은 순했다.

"형사님, 우리 형우는 어떻게 되는 거예요? 괜찮은 거죠?"
"검사를 좀 해봐야 한데요. 마경숙씨도 수술을 받으셔야 해요. 그대로 두면 큰일 나요."
"싫어요."
"마경숙씨 목숨이 위험해질 수도 있습니다."
"죽으면 죽으라지."

마경숙은 남의 이야기를 하듯 말했다.

"마경숙씨는 찌른 건 최형우씨 맞습니까?"
"아니에요."
"그럼 누가 그랬습니까? 그 방에 다른 사람이라도 있었습니까?"
"아니 찌른 건 맞는데, 난 괜찮아요. 아무렇지도 않

아요. 그럼 되는 거 아니에요? 찔린 내가 괜찮다는데 다른 사람들이 뭐라 할 거 없잖아요. 형우한테 뭐라 그럴 것도 없구요."

마경숙은 당당했다.

"아프지 않습니까? 간호사들이 상처가 꽤 깊다고 그러던데요."
"이 정도 아픈 게 뭐 아픈 축에나 들어요? 사람들이 곱게만 살았나. 이보다 백배는 아팠어도 난 괜찮았어요. 그러니까 걱정들 말라고 전해주세요. 괜히 돈 받아 먹으려고 그러는 거 같은데, 형사님은 나 사는 꼴까지 다 봤잖아요. 어디 돈이 있을 수도 없어요. 안 그래요? 그냥 우리 형우만 괜찮으면 되요. 근데 형우는 저렇게 눕혀두고 나한테만 자꾸 이래라 저래라 그러니까 내가 화가 나잖아요."

그러면서 마경숙의 얼굴은 고통으로 일그러졌다. 새로 바꾼 붕대 위로 피와 진물이 새어 나오는 것이 보였다.

"일단 수술을 받으셔야 합니다. 그 사이에 최형우도

몇 가지 검사를 받아야 하고요. 그래야 의식을 잃은 원인을 알 수가 있어요. 겉으론 멀쩡해 보이지만 어쨌든 검사를 해 봐야 아는 거니까요. 돈이 문제가 아니잖습니까. 분명 그때는 제게 도와달라고 말씀하셨어요. 그럼 이제 제 말도 좀 들으세요."

마경숙은 생각에 잠긴 듯 잠시 말이 없었다. 그러더니 큰 결심을 한 듯 고개를 들어 도형사를 바라봤다.

"좋아요. 수술을 받을게요. 그 대신 마취는 싫어요."

"뭐라고요? 그게 얼마나 고통스러울지 알기나 하는 겁니까?"

"상관없어요. 난 아프고 그런 건 상관없다니까요. 내가 정신을 잃은 동안 무슨 일이 일어날지가 난 더 무서워요."

의료진은 국부마취를 제안했지만, 마경숙은 그것도 거부했다. 자신은 온전히 깨어서 무슨 일이 일어나는지 다 보겠다고, 누구 하나 자신을 속이기라도 한다면 가만두지 않겠다고 또 으르렁거렸다. 의료진은 그 기세에 눌려 마취 없는 수술을 승낙해버렸다.

마경숙이 지독한 고통에 비명을 지르면서 수술을 받는 동안, 최형우는 아무런 고통 없이 뇌파 검사와 MRI 등의 검사를 마쳤다. 두 사람이 거의 비슷한 시간에 병실로 돌아왔을 때 도형사가 이들을 기다리고 있었다. 마경숙은 다시 최형우를 만난 것에 안도했다. 고통을 견딜만한 가치가 있었다.

"나를 찌를 거라고는 생각도 못 했어요. 아무리 화가 나도 그렇지. 개도 자기 밥 준 사람은 안 문다는데."

마경숙이 먼저 입을 열었다.

"최형우는 왜 마경숙씨를 찌른 겁니까? 싸움이 있었습니까?"
"싸움이야 매일 하는 건데요. 돈 달라는데 안 줬어요."
"최형우와 동거를 2년간 해왔다고 하셨는데 2년간 최형우가 생활비를 부담한다거나 경제적 지원을 했다거나 하는 일이 있었습니까?"
"아니요. 자기 용돈이야 예전에 선생님 할 때 알던 학생들을 한 달에 한 번 가르쳐주는 것으로 어떻게 벌고 있었어요. 지방에 있는 학생들은 따로 학원을 다닐 형편도 안 된다고, 자기가 예전에 선생이었을 때 알던 인연들로 몇 명을 봐준다고 하더라고요. 그래도 한 번도 생활비를 내놓은 적은 없어요. 제가 얘기해 본 적도 없고요."

"그럼 용돈의 쓰임새에 대해서도 전혀 관여하지 않으셨나요?"

"최형우의 돈에 대해선 한 번도 물어본 적도 없어요. 시험공부를 하고 있으니까 당연히 그때까진 부담 주고 싶지 않았어요."

"……."

마경숙은 잠시 눈을 내리깔고 입을 다물었다.

"대충은 알고 있어요. 이 사람의 용돈이란 건 늘 부족했으니까요. 부족한 부분은 늘 내 몫이기도 했어요. 못 이기는 척 조금씩 쥐어주긴 했어요. 딱히 옷을 사 입는 것도 아니고 쌀 한번 사 들고 오는 법도 없는 사람이 돈을 쓸데가 뻔하다는 생각을 안 한 것도 아니에요. 그 사람은 나에게 그렇게 끌리진 않았다는 걸 알고 있었어요. 늘 내가 교복을 입기를 원했거든요. 나는 교복 같은 거엔 별로 흥이 나질 않지만…

게다가 살이 쪄서 맞지도 않아요."

마경숙은 자신의 큰 키와 넓은 어깨가 부끄러운 듯 몸을 웅크렸다.

"교복이요? 여학생 교복을 말씀하시는 겁니까? 최형우가 교복을 가져왔습니까?"
"네. 날 위해 샀데요."
"그런데 그렇게 턱없이 작은 걸 샀단 말이에요?"

생각보다 높은 도형사의 언성에 마경숙은 무안한 표정으로 주위 눈치를 봤다. 다행히 주변엔 아무도 없었고 간호사들도 저마다 바빴다.

"그러니까요. 자기 눈엔 내가 그렇게 보인데요."

마경숙은 최형우가 그 말을 했을 때를 상상하듯 고개를 떨구고 살짝 웃음을 지었다. 도형사는 못 본 척 고개를 돌렸다. 최형우는 기본적으로 호감을 얻는 사람이었을 뿐만 아니라 특히 여자의 마음을 얻는 데에는 특출한 능력을 가지고 있었다. 마경숙은 최형우가 칼로 자신을 찔렀음에도 불구하고 여전히 그를 원하고 있었다. 도형사는 자기도 모르게 뚱한 표정을 지었다. 이해할 수 없는 상황이나 사람을 맞닥뜨릴 때 자기도 모르게 방어적으로 짓는 표정이었다.

"제가 살이 찌기 전에는…"

"그 교복 아직도 집에 있습니까?"

"있을걸요. 한 번도 꺼낸 적 없으니까요. 그런데 그 교복이 왜요?"

"제가 확인해 봐도 되겠습니까?"

"우리집을요? 싫어요."

도형사는 사건 현장에 있던 교복 사진을 꺼내 마경숙에게 내밀었다. 마경숙은 사진을 들여다보고 또 들여다봤다. 마경숙의 머릿속은 복잡해졌고 온갖 생각들이 서로 치밀고 올라왔다. 그 중 무엇이 맞는 건지 제대로 된 생각을 할 수 없을 정도였다. 숨이 막힐 정도로 한참이나 들여다보던 마경숙은 고개를 저었다.

"달라요."

"최형우가 사온 거랑 다르다는 말씀이시죠?"

"네, 형우가 사온 건 목 부분이 더 뾰족하고 검은색이에요."

"이것도 검은색인데요."
"아니요. 카라 부분이 달라요. 단추 모양도 다르고요."

도형사는 고개를 끄덕이며 사진을 수첩에 넣었다.

"저, 그 사진 다시 한번 봐도 돼요?"

다시 사진을 본 마경숙의 표정엔 확신이 넘쳤다.

"달라요. 확실히 달라요."
"알겠습니다."
"정말이에요. 달라요."

도형사는 대꾸 없이 사진을 수첩에 넣었다. 그 사이 마경숙은 도형사의 표정을 살피고 있었지만 도형사는 모른 척했다. 마경숙은 불안한 듯 침을 꿀꺽 삼켰다. 자꾸만 온몸이 떨려왔다.
"최형우가 행정고시를 준비한다는 걸 믿으셨습니까?"
"공부를 열심히 하고 있지 않는다는 건 알았어요. 하지만 선생님까지 했던 사람이니까 조금만 하면 어떻게 되지 않을까 생각했어요. 선생님이었던 것도 참 대단한 거잖아요. 그걸 그만두고 행정고시를 준비해 왔다고 하니까 믿어야죠."

최형우가 왜 선생을 그만두었는지는 정확히 알 수 없지만, 행시 준비 때문에 그만둔 것은 아닌 것만은 확실했다. 하지만 도형사는 아무 말 하지 않았다. 어쩌면 마경숙을 지켜주고 싶었는지도 모르겠다. 그녀가 안쓰러웠다. 그녀의 보잘 것 없는 희망이 안쓰러워서 견딜 수가 없었다.

"저… 그런데 형사님"
"네 말씀하세요."
"형사님은 삼척에 있다고 하셨잖아요?"
"아…네 "
"근데 어떻게 우리 집을 찾아왔어요?"
"…"
"그러니까… 나 같은 사람 지켜 줄라고 왔을 리는 없고, 혹시 우리 형우가 무슨 잘못이라도 했어요?"

도형사는 어떻게 대답을 해야 할지 난감했다. 사실대로 다 이야기할 수는 없었다.

"최형우씨를 미성년자 강간 혐의로 쫓고 있었습니다. 게다가 이 같은 치사 상해가 발생한 이상 저로서는 수사를 좀 더 할 수밖에 없습니다. 제 질문에 몇 가지 답을 해주실 수 있습니까?"

이 대답 역시 도형사의 의도를 충분히 반영하진 못했지만, 마경숙은 이미 알고 있었다는 듯 고개를 끄덕였다. 최형우가 여중생이 입을 법한 교복을 사들고 들어왔을 때 어쩌면 마경숙은 눈치를 챘었는지도 모른다.

"지난달 그러니까 2015년 4월 19일 최형우가 집에 있었습니까?"

"19일이요? 19일..."

잠시 생각에 잠긴 마경숙은 고개를 저었다.

"아니요. 그날은 알바 가는 날이 아니었지만, 학생 중 한 명에게 안 좋은 일이 있다면서 가봐야겠다고 했어요. 매달 1일은 알바를 하느라고 집에 안 들어오거든요. 그래서 그러려니 하는데 19일은 알바 하는 날도 아닌데 못 들어온다 그러더라고요."

"어디를 간다고 하던가요?"
"알바 하러 가는 곳이겠죠. 저는 잘 몰라요."
"그럼 언제 귀가했습니까?"
"모르겠어요. 다음 날 아침에 일어나보니 컴퓨터를 하고 있더라고요."

그때 간호사가 처치를 하러 들어왔다가 도형사를 보고는 한마디 했다.

"환자분 말 많이 하시면 안돼요. 잘못하면 다시 꿰매야 해요."

도형사는 수첩을 챙겨 마경숙의 병실을 나섰다.
엘리베이터를 타고 로비로 내려가는데 로비가 시끌벅적했다. 경비원으로 보이는 남자 두 명이 여자 한 명을 질질 끌어내고 있었다.

"그냥 얼굴만 보면 알 수 있다니까요. 이 병원이 틀림없어요. 그냥 얼굴만"

여자는 끌려가면서 말했다. 작은 체구의 여자는 경비원들에게 반항하기에도 너무 작아 보여 경비원들이 딱히 무력을 쓰고 있지 않음에도 불구하고 심정적으로 여자 편을 들게 되는 상황이었다. 도형사는 주차장으로 향했다. 경비원들은 정문에서 조금 떨어진 그곳까지 여자를 데리고 와서야 손을 풀었다.

"다신 오지 마. 다음에 또 와서 소란을 피우면 경찰을 부를 거야. 알겠어?"

작은 여자는 시선을 맞추지 않고 고개를 돌리고서는 딴청을 피웠다.

"다시 오면 경찰을 부른다고"

경비원의 목소리가 조금 더 강압적으로 변했다. 차문을 열고 있던 도형사는 경찰 소리에 힐끔 그쪽을 바라봤다. 여자는 여전히 눈을 마주치지 않은 채로 고개를 끄덕였다. 경비원들이 가버리고 혼자 남은 여자는 어딘가로 걸어갔다. 물고기 그림이 그려진 파란 치마가 촌스럽기도 하고 어울리기도 한 여자였다. 실내 미러로 흘금 뒤를 보니 여자는 화단 구석에 쭈그리고 앉아 뭔가를 들여다보고 있었다. 그 모습을 보다가 뒤늦게 행인을 발견하고는 끼익 브레이크를 밟았다. 놀란 도형사의 차 창문 옆으로 다가선 행인은 무서운 얼굴로 도형사를 노려봤다.

도형사는 오른손으로 가슴을 쓸어내렸다. 운전이 익숙하지 않아 차만 몰고 나왔다 하면 이런 식이다. 이번에 삼척에 내려가면 차를 팔아버릴까 하는 생각을 하며 다시 실내거울로 화단 쪽을 보니 여자는 사라지고 없었다.

도형사는 곧장 보광동으로 향했다. 마경숙의 지하방 열쇠를 슬쩍 가져온 것은 잘못임을 알고 있지만, 지금이 아니면 들어갈 수 없을 것 같았다. 방안은 도형사가 마지막으로 봤던 그 모습 그대로였다. 어지러운 이불을 건너 잘 정리된 최형우의 책상에 시선을 던졌다. 손 탄 적 없는 깨끗한 행정고시용 책들이 나란히 꽂혀 있었다. 용한 점쟁이거나 예리한 형사가 아니어도 최형우가 시험에 떨어질 것임을 알 수 있었다. 도형사의 시선이 책상 위 창가에 멈추었다.

바짝 마른 나뭇가지가 화분 가운데 꽂혀 있었다. 아니, 나뭇가지가 아닌가 싶기도 했다. 나무 옆으로 보라색과 붉은색, 분홍색 가시 선인장이 매달려 있었다.

그건 미적 감각이 없는 사람이 욕심껏 만들어 본 추한 크리스마스트리 같았다. 크기와 색깔이 제각각인 선인장들이 바짝 마른 나뭇가지에 더덕더덕 붙어 있는 모양새는 고개를 갸웃하게 만들었다. 도형사는 가까이 보기 위해 다가갔다. 살짝 만져보니 보라색 선인장은 나무에서 기생하고 있었다. 나무와 보라 선인장은 모양도 다르고 다른 종류임이 분명했지만 이식되어 한 몸으로 창가 화분에 꽂혀 있었다. 그래 '꽂혀 있다'는 말이 정확했다. 그것의 이름이 뭔지도 모르겠지만 그것은 살아 있다고 보여지지 않았다. 아주 기괴한 가짜 크리스마스트리였다.

그때 창밖으로 누군가의 인기척이 느껴졌다. "아줌마 왔어요?" 불투명한 창으로 어떤 여자가 허리를 숙이고 말을 건넸다. 도형사는 급히 몸을 숙였다. 창밖의 여자는 마경숙과 친분이 있었던지 그녀를 걱정하면서 멀어졌다. 도형사는 서둘렀다. 먼저 옷장을 열었다. 정성일의 비키니 옷장에 견줄만한 낡은 옷장이었다. 옷장을 열자 최형우와 마경숙의 옷들이 쏟아졌다. 마경숙이 말한 여학생의 교복은 보이지 않았다. 최형우의 옷은 물론이고 쓰레기봉투까지 모두 뒤집었다. 옷가지들을 들추자 오래된 먼지들이 창을 통해 들어

오는 가느다란 햇빛 속으로 날아올랐다.

그러길 두 시간 남짓. 도형사는 쓰레기통을 열었다. 계란 껍질 썩은 냄새가 순식간에 방안을 뒤덮었다. 쓰레기통을 뒤집었으나 별다른 것은 찾을 수 없었다. 푸른 곰팡이가 바닥에 들러붙어 있는 검은 비닐봉지만 저 혼자 부스럭거리고 있었다. 도형사가 다시 쓰레기들을 담으려 쓰레기통을 당겼을 때, 푸른 곰팡이로 뒤덮여 비닐봉지 바닥에 눌러 붙어 있는 종이 티켓이 보였다. 냄새나는 액체로 젖은 티켓을 잡아 올렸다. 강남 터미널에서 삼척으로 가는 버스 티켓이었다. 운 좋게-누군가에게는 운 나쁘게- 떨어져 있어서 도형사에게 돌아온 티켓. 도형사는 저도 모르게 소리를 질렀다. 2015년 4월 19일. 시간대는 보이지 않았다.

도형사는 바로 강남발 삼척행 고속버스 시간표를 검색했다. 매 시간대 버스는 있다.

2015년 4월 19일 저녁 9시 20분에 강남 고속버스 터미널을 출발한 버스는 삼척 터미널에 4월 20일 1시 경에 도착한다. 삼척 터미널에서 정씨 부부의 집까지는 택시로 20분 거리. 정씨부부가 살해된 시각은 새벽 2시경. 이선장이 정씨 부부를 발견한 것은 3시 반경이다. 최형우가 정씨 부부를 살해하고 사건 현장을 벗어날 시간은 충분하다.

이 냄새 나는 차표가 증거가 될 수 있을까?

최형우는 미리 구입한 여중생 교복을 들고 알바 간다는 거짓말을 하고는 강남 터미널로 가 삼척행 버스를 탔다. 그리고 정씨 부부를 살해했다. 마경숙은 살해 현장의 교복이 최형우가 산 것과 다르다고 말했지만, 그 말은 거짓말일 수도 있다고 생각했다.

최형우는 의식불명의 상태에서 돌아오지 못하고 있었다. 의료진은 조심스럽게 코마 진단을 내렸다. 최형우의 신체 활동은 정상이었지만 뇌는 잠들어 있었다. 그 사실을 전해 들은 마경숙은 울음을 터트렸다. 그리곤 한참이나 침대에 앉아 아무 말도 하지 않았다. 어쩌면 그녀는 최형우의 몸이 죽더라도 뇌만은 살아 있기를 바랬을지도 모르겠다. 도형사도 간이 의자에 털썩 걸터 앉았다. 가장 유력한 용의자가 움직일 수 없는 상태가 되었으니 다행이라고 해야 하는 것일까.

모르는 누군가 이 모습을 봤다면 마경숙과 도형사

가 최형우의 가족이라고 생각했을지도 모를 정도로 허망한 표정을 지으며 도형사는 마경숙의 맞은 편에 앉아 있었다. 둘 중 한 사람은 최형우가 간절하게 범인이길 바랐고, 다른 한 사람은 간절하게 깨어나길 바랐다.

## 11.

도서관 앞 버스 정류장에서 버스를 기다리고 있던 지훈은 조금 떨어진 곳에서 그를 바라보고 있는 영선과 눈이 마주쳤다. 영선은 주춤거리며 그 자리에 그대로 서 있었다. 지훈도 그랬다. 마침 버스가 도착하고 지훈이 버스에 오르자 영선이 주섬주섬 다가와 버스 출입문에 서서 지훈을 바라보고 있었다. 지훈은 버스 기사에게 말했다.

“두 사람이요.”
영선은 제일 뒷자리에 앉은 지훈 옆에 앉았다.

“움직이지 않는 남자를 찾으면 그땐 어떻게 할 거예요?”

지훈이 영선에게 물었다.

"움직이지 않고 살 수 있게 해줘야죠."
"움직이지 않는 남자는 움직이고 싶어 할지도 몰라요."
"아니에요."
"어떻게 영선 씨가 그걸 알아요? 그 사람이 그렇게 말했어요?"
"그 남자는 말 못해요. 노래도 못하고 뛰지도 못하고 먹지도 못해요. 그래도 볼 수는 있어요."
"그런데 영선 씨가 어떻게 그 남자가 움직이기 싫어하는지 알아요?"
"그냥 알아요."

지훈은 영선을 의아한 표정으로 바라봤다.

"자꾸 꼬치꼬치 캐묻고 싶진 않지만 그건 아주 중요한 문제에요. 왜냐면 그 사람이 정말 움직일 수 있게 된다면 그건 너무 좋은 거니까요. 가고 싶은 곳에도 갈 수 있고 먹고 싶은 것도 먹을 수 있고 말도 할 수 있고. 그런 걸 다 할 수 있으니까요. 영선 씨가 아무 이유 없이 그걸 막을 순 없어요."

영선은 잠시 눈을 끔뻑거리며 생각에 잠겼다.

"지훈 씨는 움직일 수 있는데 왜 아무 곳에도 가지 않아요?"
"가고 싶지 않으니까요."

영선은 고개를 끄덕끄덕했다. 지훈은 영선의 침묵에 더더욱 머리가 복잡해졌다.

지훈이 히키코모리가 된 것은 부모의 이혼 이후였다. 지훈의 부모는 둘 다 지훈을 키우고 싶어 하지 않았다. 각자 재혼의 상대가 있었고 각자의 새로운 삶을 꿈꾸고 있는데 지훈은 오히려 걸림돌이었다. 부모 중 어느 누구도 입 밖으로 내어 이 사실을 지훈에게 말한 적은 없었지만, 지훈은 알고 있었다. 아무도 자신을 원치 않는다는 것을. 이혼이 결정된 날, 지훈의 부모는 지훈을 불러 놓고 물었다. 누구와 살기를 원하는지. "엄마는 아저씨와 대구로 내려갈 거고 아빠는 아줌마랑 서울에 있을 거야. 지훈이는 어디로 가고 싶어?" 지훈은 대답했다.

"아무 곳에도 가고 싶지 않아요."

지훈이 선택할 수 있는 곳이 딱 두 가지뿐이라면 지훈은 어느 것도 선택하고 싶지 않았다. 그 날 이후로 지훈은 혼자 살게 되었다. 지훈이 17살 때였다.

지훈과 영선은 버스에서 내려 지훈의 아파트로 걸었다. 걷는 내내 지훈은 영선에게 아무것도 더 묻지 않았다. 움직이지 않는 남자는 그저 움직이고 싶지 않은 것이다. 그리고 영선은 그것을 알고 있다. 지훈이 예전에 부모가 자신과 함께 있고 싶어 하지 않는다는 것을 알았던 것처럼. 지훈은 더이상 영선에게 이유 따위는 묻지 않기로 했다. 그 순간, 영선이 지훈의 손을 말없이 잡았다. 지훈이 영선을 바라봤지만 영선은 아무렇지도 않은 듯 지훈에게 손을 잡힌 채 걷고 있었다. 아니 오히려 영선은 손바닥을 펴서 지훈의 손을 더 단단히 잡았다. 낯선 따뜻함이 지훈의 손끝에서부터 번지고 있었다.

진달래 아파트 슈퍼아저씨는 멍하니 문밖을 바라보며 손님을 기다리다가 깜짝 놀라 자리에서 일어섰다. 그리고 문밖으로 뛰어나왔다. 헛것을 보고 있나 싶어서 눈을 문지르고 다시 봐도 크림빵 청년이 분명했다. 크림빵 청년이 낯선 여자의 손을 잡고 걸어가고 있었다. 슈퍼아저씨가 본 가장 기이한 장면 중 하나였다.

12.

정성일과 차순영의 눈 위에 올려져 있던 동전의 지문은 동일한 사람의 것이었다. 병원에 누워 있던 최형우의 지문을 몰래 확보한 도형사는 동전의 지문과 대조를 해보았지만 결과는 실망스러웠다. 최형우와 동전의 지문은 일치하지 않았다.

"그래서 최형우는 기소가 안 된다구요?"

김순경은 젓가락을 탁자 위에 내려놓으며 말했다. 도형사는 주위에 누가 들을까 싶어 주위를 둘러보고는 김순경에게 눈치를 줬다. 김순경은 여전히 씩씩거렸다.

"아니 그럼 미성년자 성폭행도 있잖습니까? 그 치킨집인지 햄버거집인지에서 만난 여중생을 추행했다면서요."

"그 여중생하고 통화를 했는데 아무 일도 없었다면

서 나와 만나길 거부해. 그 이후론 전화번호도 바꿔 버리고"

"현장을 덮치지 그러셨어요?"

도형사는 말문이 막혔다. 버스를 쫓아가다가 차선을 잘못 들어 놓쳤다는 이야기를 차마 할 수 없었다.

"차순영도 매달 1일에 가게를 쉬었데요. 요일에 관계없이 그냥 1일에 쉬었데요. 최형우도 매달 1일에 알바를 간다고 했다면서요. 게다가 범행 당일에 삼척 가는 차표까지! 완벽하구만."

"그게 무슨 소리야? 뭐가 완벽해?"

김순경은 피곤한 표정으로 막걸리를 들이키는 도형사를 힐끔 봤다. 김순경은 뭔가 초조해보였다. 도형사가 알고 있지 않은 것을 알고 있는 눈치였다.

"그나저나 그동안 별일은 없었어?"

"늘 그렇듯이 뭐 별일 있나요. 오랜만에 서울 가보니 어떠셨어요? 저는 지금까지 한 번도 가 본 적이 없어서요."

"한 번도 가 본 적이 없다고?"

"네. 그 가로수길인가 거기도 가 보고 싶고 롯데월드도 가 보고 싶은데……. 형사님은 그런데 가 보셨어요?"

"롯데월드를 내가 왜 가"

"가로수길에 여자들이 그렇게 예쁘데요. 친구 하나가 얼마 전에 서울 갔다 왔나봐요. 그 친구는 쇼핑하러 가끔 간데요. 서울 여자들은 뭘 먹고 그렇게 예쁜 거지? 맨날 파스타, 샐러드 뭐 그런 것만 먹고 살아서 그렇게 예쁜 건가? 친구가 그러는데요. 그냥 티비에서 툭 튀어나온 것 같은 여자들이 거리에 막 걸어다니고 커피숍에서 커피 마시고 막 그런데요."

도형사는 김순경의 순진한 이야기를 듣고 웃음을 터트렸다. 도형사가 지난 며칠 동안 서울에서 본 여자, 마경숙이 떠올랐다.

"형사님"

김순경의 목소리가 낮아지며 주위의 눈치도 살짝 살폈다. 또 무슨 얘기를 하려고 하나 싶었다.

"그 피해자 차순영 말이에요."

"응"

"이상한 소문이 돌았었데요."

"무슨 말이야?"

"정수철이 8년 전에 도계중을 다닐 때 정수철 엄마인 차순영하고 정수철의 담임인 최형우하고 그렇고 그런 사이라는 소문이 있었데요. 그래서 아이들이 막 정수철을 놀리고 그랬나봐요. 그런데 정수철이 사고가 나던 날, 정수철의 엄마가 최형우가 살던 관사에서 나오는 것을 본 학생이 있었데요. 그래서 차순영이랑 최형우랑 그런 관계라고 정수철 앞에서 말했는데 그 몇 시간 후에 정수철이 사고가 났데요."

"확실해?"

"예. 확실한 겁니다."

"그렇다면 차순영은 최형우와의 관계 때문에 최형우에게 협박을 당하고 있었던 건가? 남편에게 알리지 않는 대가로 돈을 보내왔을 수 있어. 그런데 왜 사건 한 달 전에 돈을 끊은 거지?"

"최형우가 매달 삼척에 내려왔었잖아요. 협박이라기보다는 둘이 만나는 일종의 대가랄까 아니면 그야말로 용돈이랄까 연인간의 뭐 그런 거 아닐까요? 협박하는 남자를 계속 만나고 있을 여자가 있겠어요?"

"최형우와 차순영이 불륜관계에 있었단 얘기지?"

"아니요. 뭐 꼭 그렇다기보다 차순영도 좋아서 만난

거 아닐까 하는 거죠. 무려 8년이나 계속됐잖아요. 남녀 간의 일은 모르는 거니까요. 게다가 차순영은 자신 때문에 사고로 아들이 다쳤는데도 불구하고 최형우를 계속 만나왔던 거잖아요."

"그게 불륜 아니야?"

김순경의 표정이 눈에 띄게 굳어졌다. 그는 '불륜'이란 단어가 불편했다. 도형사는 김순경의 잔에 넘치게 막걸리를 따랐다. 어쨌거나 김순경의 말에 일리가 있다. 차순영은 자신의 소문 때문에 아들이 사고가 났는데도 불구하고 그 소문을 최형우와 비밀리에 계속 이어가고 있었다. 8년간 계속 만나 왔는지는 불분명하지만, 아마도 차순영과 최형우는 8년간 소문 속의 관계를 계속해 왔을 거란 생각이 들었다.

"그만요! 넘쳐요."

도형사가 정신을 차려보니 탁자에 막걸리가 흥건했다.

"무슨 생각을 그렇게 하세요?"

"아냐."

"그런데 거기에 여학생이 한 명 있었데요. 최형우가 관사에서 데리고 살면서 학교를 보내던 학생이었는데..."

"최형우, 이 미친 새끼! 그때부터 이미 그랬던거야."

"집이 멀어서 그랬다던가 아무튼 그래서 최형우가 관사에 머물게 했데요. 근데 그 여학생이 약간 정신이 나간 친구였나봐요. 이상한 짓도 많이 해서 학생들이 다 놀리고 그랬다는데 이 여학생도 정수철이 학교를 그만두자 얼마 안 돼서 학교를 그만 뒀데요."

"그 여학생 이름이 뭐래?"

"이영선이랍니다."

"확실해?"

"그럼요."

도형사는 수첩을 꺼내 바로 이영선의 이름을 적으며 김순경에게 물었다.

"이 얘기 누구한테 들었어?"

"네? 아.... 저기.. 그게...."

"뭐야 김순경. 왜 그래?"

김순경의 태도에 오히려 당황한 건 도형사였다.

"저… 사실은 연애합니다."
"그런데?"

도형사는 생뚱맞은 표정으로 되묻다가 멈칫했다.

"신주리야?"

한 옥타브 쯤 올라간 목소리로 도형사가 묻자 김순경은 놀라 주위를 둘러보며 도형사의 팔뚝을 잡았다.

"형사님 서울 가시고 나서 연락이 와서 한 번 더 만났거든요. 다음날도 만났는데 말도 잘 통하고 헤어지기 싫어서 그날 밤에 같이 있으면 안 되겠냐고 제가 말했어요. 그랬더니 고개를 끄덕하더라고요."

김순경은 폭포수처럼 말을 쏟아내고는 잠시 숨을 골랐다. 김순경의 표정을 보니 완전 얼이 나간 표정이었다. 생각하는 것만으로도 벅찬 사랑.

"너무 신기했어요."

"김순경 어쩌려고? 그게 범죄는 아니지만"

"좋은 사람 만나는 게 왜 범죄예요?"

"그래 그렇긴 한데... 신주리는 결혼한 사람이라고. 도덕적으로 문제가 있는 만남이란 말이야."

"불륜이라고 말씀하시는 거죠?"

도형사는 후우 한숨을 크게 내쉬었다. 왜 삶은 제대로 굴러가는 법이 없는가. 그렇다고 해도 남의 사생활로 이래라 저래라 말 놓고 싶지 않았다. 그건 김순경의 삶이니까. 정씨부부를 죽인 범인에 대한 생각만으로도 이미 버거웠다. 모두의 삶이 제대로 굴러갔다면 이곳 삼척에서 김순경과 도형사로, 피해자와 수사관으로 만나지 않았을까? 다른 곳에서 다른 방식으로 관계를 맺었을까? 제대로 된 관계, 법에 저촉되지 않는 관계로.

이 사건이 시작되기 전에는, 적어도 이전에는 알지 못했던 정씨부부가 살아 있을 때까지만 해도 도형사는 법에 저촉되지 않는 관계들을 맺는 것이 당연하고 가능하다고 생각했었다. 그 생각에 심지어 아무런 불만도 갖지 않았다.

하지만 지금은...

얼굴도 몰랐던, 같은 삼척에 사는지도 몰랐던 정성

일과 차순영이 죽고나자 모든 것이 달라졌다. 그들의 죽음은 많은 것들을 땅속에서 길어 올리는 마중물이었다.

"그런 표정으로 보지 마세요."
"내가? 어떤 표정이었는데?"
"측은하고 혐오스러운 표정이요."
"정말? 내가 그런 표정이었다고? 미안해. 미안해요 김순경. 정말이지 그런 뜻은 아니었어. 그냥 걱정이 좀 지나쳤나봐. 그런거야."

도형사는 술잔을 비우고 일어났다.

"벌써 가시게요?"

김순경이 아쉽다는 듯 물었다. 도형사는 내일 해야 할 일들을 생각하니 술이 더 들어가지 않았다.

다음날 아침 일찍 도형사는 도계중학교로 향했다. 김 선생이 아는 척을 해주었지만 꼬치꼬치 캐물을 것 같아 대충 말을 끊어버렸다. 이젠 말해주지 않아도 어디 있는지 아는 2007년도 생활기록부에서 '이영선'

을 찾았다. 갸름한 얼굴형에 눈도 가느다랬다. 입술을 좌우로 좀 당겨 놓은 모양새에, 턱이 날카로워 어쩌면 이를 앙 다물고 있는 느낌을 주었다. 매 순간 무언가 결심하듯 사는 느낌. 그러나 쳐져 있는 눈꼬리와 검은 눈동자의 눈은 순해 보였다. 누군가를 죽일 수 있는 눈은 아니라고 생각하다가 저도 모르게 고개를 세차게 저었다. 그걸 누가 안단 말인가. 그냥 안다고 믿고 싶은 것일 뿐. 주소지는 도계중학교. 관사에서 최형우와 함께 머물렀다는 말과 일치한다.

도형사는 이영선의 학생 기록부 기록을 꼼꼼하게 살폈다.

정수철과 이영선은 같은 시기에 사라졌다. 이영선과 정수철은 연결되어 있으리란 생각이 들었다. 이영선을 찾는다면 아마 정수철의 행방도 알게 될 것이다. 그러나 정수철도 이영선도 그날의 사고 이후 모두 흔적도 없이 사라지고 없다.

삼척시내로 돌아온 도형사는 차순영의 사진을 들고 버스 터미널과 터미널 근처 상가, 차순영의 집 주변에서 좀 떨어진 곳과 차순영이 일하던 식당 주변까지 모두 뒤졌다. 행여라도 차순영의 모습을 기억하는 사람이 있을 것이다. 차순영은 식당에서 매달 1일은 무슨 일이 있어도 쉬었다고 하니 그 날 어딘가로 가는 모습을 본 사람이 있을 것이라는 생각이 들었다.

이틀 동안이나 뒤지고 다녔지만 차순영을 봤다는 사람이 없었다. 쉽지 않을 거라고 생각은 했었다. 종일 걸어 다닌 통에 도형사는 파김치가 되어서 순댓국집 의자에 주저앉았다.

"순댓국 곱배기 하나 주세요."

가게 가득한 꿉꿉한 냄새를 맡으며 수저를 드는 도형사의 귓가에 옆자리의 남자들이 하는 이야기가 들려왔다. 옆자리에 앉은 남자들의 어느 지인이 차순영이 곱게 빼입고 동해시로 가는 버스를 타는 것을 봤다고 한다.

"말도 안 되는 소리한다. 꽃무늬 몬빼 입은 사람이 한 둘이나?"
"몬빼가 아니라 치마라하든데."
"몬빼든 치마든 꽃무늬 거시기가 세상에 하나밖에 없는 것도 아이고"

"내 친구가 봤단다. 그 꽃무늬 치마 입고 아주마이가 쌀 사고 김치 싸가지고 어디로 가더란다. 그래가 아주마이 어데 좋은데 가시는가 했더니 대답도 않고 고개 숙이고 씽 갔다하든데"

"그 아주마이 숨겨둔 남자가 있는가?"

"내는 모르고."

그들 무리는 잠시 침묵에 잠겼다.

"설마 그라기는 했겠나. 정씨랑 아주마이랑 사이좋았다. 자슥 없어도 서로 엄청 애껴줬데이."

사람들은 고개를 끄덕끄덕했다.

"자슥 없는 게 그게 사이 좋은거나? 삼척에서 동해엔 뭔 일로 가는데? 뭔가 켕기는 게 있는 거 아니나?"

어느 남자의 말에 일행은 고개를 멈추고 순댓국만 들이켰다.

13.

차순영은 손에 도시락 같은 것을 든 채로 집을 나서 삼척 버스터미널로 향한다. 동해로 향하는 시외버스를 탄다. 30 여분 만에 도착한 동해 시외버스 터미널에서 다시 시내버스를 갈아타고 20분을 달려 농협버스 정류장에서 내린다. 도보로 2분 거리에 있는 의료기기 전문점에 들러 환자용 유동식을 구매한다. 다시 도보 2분과 시내버스 20분을 이용해 동해 시외버스 터미널에 도착, 버스를 타고 삼척시가 아닌 미로면으로 향한다.

삼척시에도 의료기기 전문점이 있는데도 불구하고 굳이 동해시까지 와서 유동식을 산 것은 주변 사람들에게 숨기고 싶은 일이 분명했다. 도형사는 동해 시외 버스 터미널에 서서 차순영이 바리바리 짐을 들고 버스를 기다리는 모습을 그려볼 수 있었다.

동해 버스 터미널에서 근덕으로 가는 버스의 기사는 차순영을 정확히 기억하고 있었다. 이 노선은 이용객이 그다지 많지 않아 곧 없어질 지도 모른다고 했다.

"아즈마이가 볼 때마다 짐이 가득이라. 무슨 박스를 잔뜩 들고 있길래 요래 봤더니 환자들이 밥을 못 먹으니까 물처럼 이래이래 삼키는 거 뭐 그런거드라고. 내가 걱정이 되서 아즈마이 누가 많이 아픕니까? 물어봤더니 아즈마이가 그냥 고개 숙이고 얼버무리더라고. 아즈마이 걱정이 많아 보여서 더는 안 물어봤지."

차순영은 미로면을 지나 외돌 바위 버스 정류장에 내렸다. 미로에서 신기리로 향하는 중간의 그 정류장은 마을도 없고 가게도 없는 곳이라 버스 기사는 내리는 곳을 알려주면 그곳에서 세워주겠다고 말했지만 차순영은 괜찮다면서 그 많은 짐을 들고 늘 그 버스 정류장에서 내렸다고 한다. 버스에서 내린 차순영은 두 번에 걸쳐 짐을 날라 개천을 건너 커다란 소나무를 돌아갔다고 한다.

도형사가 외돌 바위 버스 정류장에서 내리자 주위엔 아무것도 없었다. 집도 인적도 없었다. 이따금 지나다니는 차가 있고 경운기도 있었지만 멈춰 서 있는 차는 없었다. 버스 기사 말에 의하면 외돌 바위에서 내려다보는 풍경이 멋지다고 한다. 길이 좀 험하긴 하지만 봄가을에 몇몇 외지인들이 외돌 바위를 찾는다고. 지역 주민들만 아는 이곳에 시 당국이 관광객을 유치할 목적으로 버스 정류장까지 만들었지만, 아직까진 아는 사람도 찾는 사람도 많지 않다는 것이다. 도형사는 개천을 건너 커다란 소나무를 돌아 외돌 바위로 오른다.

길은 다소 험했지만 멀진 않았다. 커다란 소나무를 돌아 30분 정도를 오르자 외돌 바위였다. 외돌 바위는 큰 도로 반대편에 위치해 거리는 멀지 않지만 큰 도로 쪽에서 볼 때와는 완전히 다른 풍경이 펼쳐졌다. 외돌 바위 뒤편은 울창한 나무로 가려져 있고 앞의 전망은 확 트여있어 들꽃이 핀 개천과 산언덕, 아기자기 펼쳐진 들판의 모습이 그대로 보였다. 도형사는 저도 모르게 "좋구나."하고 말해버렸다.

다시 그 길을 내려와 버스를 기다려 타자 아까 그 버스 기사다.

"어라 그 아주머니는 돌아가는 길엔 이 버스 안 탔는데. 개천 따라 내려가믄 반대편에 '남자 외돌 바위'가 있는데 그 아주머니는 돌아갈 땐 거기서 타요."
"왜요?"

버스기사는 멀뚱한 표정을 지으며 대답했다.

“내가 그 속을 압니까. 좀 걷고 싶었나보죠”

도형사는 다시 버스에서 내려 외돌 바위로 올라갔다. 버스 기사의 설명에 따르면 지금 오른 외돌 바위는 ‘여자 외돌 바위’라고 부르고 반대편 외돌 바위를 ‘남자 외돌 바위’라고 부른단다. 두 외돌 바위가 가운데 개천과 들판들을 잘 보호해 주고 있는 형상이라 이 들판을 아이 동(童)자를 써서 ‘동야’라고 불렀다고 한다. 사이좋은 부부가 아이가 뛰어 노는 모습을 바라보는 형상일수도 있고 사이좋은 부부 사이에 생긴 풍요로운 시절의 아이라는 뜻도 있다고 한다. 혹자는 이곳이 워낙 숨겨져 있는 곳이라 예부터 남녀가 밀회를 자주 즐겨 아이가 많이 생기는 곳이어서 그렇게 부른다고도 했다.

도형사는 ‘남자 외돌 바위’로 내려갔다. 개천을 따라 걷자 ‘여자 외돌 바위’에서 보던 풍경과는 다른 풍경이 눈에 들어왔다. 위에서 내려다 볼 때보다 나무가 울창했고 길은 울퉁불퉁했다. 땀이 비 오듯 쏟아졌다. 세수라도 하려 바위를 딛고 몸을 숙이는데 발이 미끌하더니 종아리까지 물에 빠져버렸다. 바위에 물이끼가 잔뜩 끼어 있었다. 물은 깜짝 놀랄 만큼 차가웠다. 물에 젖은 김에 주저앉아 얼굴에 물을 끼얹는데 후 한숨이 절로 흘러나왔다. 하필이면 구두를 신고 온 자신의 판단도 잘못된 것이었다. 구두를 신고 오다니. 대학 다닐 때부터 도형사는 특별한 날이 아니면 구두를 신지 않았다.

첫 소개팅이 있던 날, 도형사는 구두를 신었다. 좋은 사람을 만나러 가는 길엔 좋은 신발을 신는 법이라고 도형사의 아버지는 말했었다. 대학에 입학하자 새 구두를 사준 것도 아버지였다. 첫 소개팅은 어땠냐고? 결론부터 말하자면 그 여자는 자리에 앉자마자 술을 시켰고 혼자 마구 떠들어댔다. 2시간 뒤에 여자는 화장실에서 쓰러져서 가게 종업원이 도형사에게 달려왔다. 도형사는 그 여자를 업고 거리로 나섰지만 그 여자의 집도 학교도 몰랐다. 소개팅을 주선해준 친구와는 연락이 되지 않았다. 그 여자를 업고 도형사의 학교로 왔다. 풀밭에 그 여자를 뉘이고 그 옆에서 밤을 지샜다. 어디를 가야 할지 몰랐기 때문이었다. 하지만 새벽에 잠에서 깨어난 여자는 오히려 불같이 화를 내곤 밤거리로 씩씩하게 걸어 나갔다. 그 여자의 뒷모습을 보면서 도형사는 자신이 좀 바보스럽게 느껴지기도 했다. 구두를 신으며 들떴던 자신이 부끄러웠다. 기대와 사랑을 드러내는 것은 부끄러운 일이라고 새벽길을 떠나던 여자는 알려주었다.

이번에도 도형사 혼자 엉뚱한 곳을 헤매고 있는 건 아닌가 하는 생각에 들어 올리는 고개마저 무거웠다. 개천에서 멀리 떨어진 곳에 생뚱맞게 집이 한 채 보였다. 집이라기엔 너무 허름해 보였지만 흙을 바른 집이 분명했다.

젖은 몸을 벌떡 일으켜 달려갔다. 도형사의 발이 미끄러져 바위 위에 허리를 세게 찧으며 넘어지고도 아픈 줄도 몰랐다.

다짜고짜 문을 벌컥 열고 들어섰다.

"맙소사!"

도형사는 자기도 모르게 탄식을 내뱉었다. 마침내 찾았다.

방 가운데에 환자용 침대가 덩그마니 놓여 있었다. 한편엔 싱크대. 싱크대 위엔 플라스틱 접시가 씻지도 않은 채 그대로 놓여져 있었다. 딱딱하게 말라붙은 크림에서 오래된 단내가 풍겼다. 누군가 여기에 환자와 같이 살았음을 보여준다. 도형사는 침대를 만져봤다. 누운 모양 그대로 움푹 꺼져있는 매트리스. 그리고 고개를 돌리자 맞은편 구석에 놓인 이불더미가 눈에 들어왔다. 이불 더미 위에 사람의 기댄 모양 그대로 주름이 져 있었다.

싱크대를 열자 바닥을 보이는 쌀포대가 있었다. 집 뒤편으로 돌아가자 나무 장작들 옆으로 환자 유동식 파이프와 비닐 쓰레기가 모아져 있었다. 정수철은 이곳에 있었구나 하는 생각이 도형사의 머릿속을 스쳐갔다. 차순영은 무슨 이유에서인지 정수철을 이곳에 숨겨두고 한달에 한번 환자유동식과 음식을 날랐다. 환자 유동식을 먹을 정도의 상태라면 정수철은 아마도 꽤나 심각한 상태였을 것이다. 도형사는 침대를 눌러봤다. 정수철은 하루 종일 침대에 누워 움직일 수 없는 상태였을 것이다. 그리고 이곳엔 정수철 이외에 한 사람이 더 있었다. 움직일 수 없는 정수철을 돌봐주는 사람이 한 사람 더 있었다고 도형사는 생각했다. 차순영은 한 달에 한번 그들을 돌봐주러 이곳에 왔던 것이다.

방 벽엔 돌 부스러기로 한글 연습을 한 흔적이 있

었다. 집 뒤편 쓰레기더미에선 한글연습을 한 노트와 비교적 최근 것으로 보이는 빈 주사기가 있었다.

도형사는 싱크대 옆쪽으로 나 있는 작은 쪽문을 열었다. 쪽문 안쪽에서 드러난 작은 방구석엔 이불이 개어져 있었고 그 이불 아래를 들추자 콘돔 껍질이 나왔다. 도형사는 이 방에서 차순영과 최형우가 뒹굴었을 모습이 떠올랐다. 지문 조사를 해봐야 알겠지만, 최형우의 것이 분명하다는 생각이 들었다. 환자 유동식을 먹는 사람이 콘돔을 사용해서 성행위를 한다는 것은 무리일 것이다.

무려 8년 동안 이곳에서 불구의 남자를 돌봐온 사람은 누구일까. '이영선'이라는 이름이 도형사의 머릿속을 스쳐갔다. 최형우와 함께 관사에서 지내며 학교를 다니다가 정수철이 학교를 그만두자마자 자취를 감추어 버린 정신 나간 여자애, 이영선.

서로 돌아온 도형사는 콘돔 껍질과 침대와 이불에서 발견한 머리카락을 국과수에 유전자 검사를 하기 위해 넘겼다. 서류를 작성하고 시료를 원주 국과수로 우편발송을 하자 다리에 힘이 빠지며 멍해졌다. 의자에 털썩 몸을 틀어박고 아무렇게나 팔다리를 뻗고서는 눈을 감았다. 8년이나 외돌 바위 계곡의 눈에 띄지 않는 집에 숨어 살던 여중생이 자꾸 떠올랐다. 죽은 상태나 다름없는 아픈 사람과 늘 함께 지내며, 옆방에서는 친구 엄마와 선생님이 섹스를 하고 있는 상황을 지켜보던 여중생을 떠올리자 온몸이 부르르 떨리며 눈이 번쩍 떠졌다. 정신 차려보니 도형사의 몸이 의자에서 떨어져 바닥에 처박혀 있었다. 잠이 들었던 모양이다. 서에 아무도 없어서 다행이었다.

그날 저녁, 도형사는 신주리에게 전화를 해서 만나자고 했다. 신주리는 주저하며 도형사에게 커피숍 위치를 알려주었다. 신주리가 말한 커피숍은 주로 관광객이나 갈법한 해수욕장 근처의 커피숍이었다. 아직은 관광객이 많을 철이 아니라 커피숍은 손님 없이 한산했다. 도형사가 커피숍으로 들어서자 구석 자리에 앉은 신주리가 고개를 들어 가볍게 인사를 했다. 도형사가 자리에 앉아 서둘러 음료를 시켰다. 빨리 대화를 시작하고 싶었기 때문이다. 음료가 나오고 종업원이 물러가자 신주리가 먼저 말을 꺼냈다.

“멀리까지 오시게 해서 죄송해요. 시내나 집 근처에

서 형사님을 만나면 아는 사람을 만날 것 같아서요."
"괜찮습니다. 이해합니다."
"그런데 무슨 일로...?"

신주리는 뭔가 도형사의 눈치를 살피며 물었다. 도형사는 김순경과의 관계를 꺼낼 생각은 전혀 없었으므로 신주리의 걱정을 빨리 없애주고 싶어 본론을 서둘러 꺼냈다.

"이영선이라는 여학생에 대해서 좀 더 이야기를 듣고 싶습니다."
"수철이가 아니라 영선이요? 의외네요."
"좀 이상했다고 하는데 어떻게 이상했습니까?"
"중학생인데 글을 못 썼어요. 책도 못 읽고 말도 제대로 못했어요. 근데 선생님을 좋아했는지 어쨌는지 아침에 제일 먼저 학교 와서 책상에 꽃을 꽂아두곤 했었어요. 한번은 제가 선생님 책상에 노트를 갖다놓고 오다가 그 꽃을 떨어트렸거든요. 저는 모르고 그냥 자리로 돌아왔는데 갑자기 누가 제 머리채를 잡더니 가위로 막 자르는 거예요. 전 놀라서 소리를 막 질렀어요. 영선이가 제 머리채를 잡고 자르고 있었어요. 아이들이 말렸지만 영선이는 악착같이 제 머리채를 다 잘라버리더라고요. 전 잘린 머리를 잡고 소리 지르며 막 울고 있는데 영선이는 제 머리채를 들고 선생님 책상으로 가더니, 어떻게 했는지 아세요?"

도형사는 가만히 다음 얘기를 기다렸다.

"꽃병에 제 머리카락 다발을 꽂는 거예요. 그리곤 나를 보며 씨익 웃어요. 그걸 보는 순간 온몸에 소름이 쫙 돋았어요."

신주리는 그때 생각이 나는 듯 손으로 어깨를 감싸며 몸을 부르르 떨었다.

"그 이후부터는 아이들이 영선이를 건드리지 않았어요. 선생님도 영선이만큼은 조금 조심스럽게 대했던 것 같아요."

"최형우 선생님이 이영선을 성적으로 대한 적은 없었습니까?"

"아니요. 전혀요. 선생님은 수철이 엄마하고 그렇고 그런 소문이 있던 상태였어요. 오히려 영선이가 선생님을 좋아하는 것 같았어요. 선생님은 불쌍한 영선이를 도와주고 있었던 거죠."

"이영선의 부모는 그럼 어디에 있었습니까?"

"몰라요. 도계에 사는 것 같지 않았어요. 영선이 아빠가 버섯 따는 사람이라는 말은 들었어요. 가끔 산에서 내려온대요. 한 번도 본 적은 없지만. 영선이의 점심도 아이들이 싸다줬어요. 선생님 관사에서 같이 살고 있긴 했지만 점심까지 선생님이 해주실 순 없었나봐요. 그래서 선생님이 부모님들께 부탁해서 매일 돌아가면서 영선이 도시락을 싸왔어요."

최형우가 학부모와 학생들에게 어떻게 보였을지 생각하니 욕이라도 쏟아질 것 같았다.

"영선이는 수업시간 이외에도 선생님을 졸졸 따라다니다시피 했어요. 선생님이 일부러 아이들을 불러서 영선이 불쌍한 친구니까 사이좋게 지내라고 했지만 영선이는 우리랑 잘 어울리지 않았어요. 뭐 우리도 걔랑 어울리기 싫었지만요."

신주리는 잠시 말을 끊었다가 다시 이었다.

"사실... 걔는 팬티를 안 입고 다녔어요."

"네?"

"팬티를 안 입고 그네를 타기도 하고 수업시간에도 다리를 벌리고 앉아 있었어요. 우리야 수업 받으면 모르지만 선생님들은 다 보일 거 아니에요. 이영선이 그네 탈 때 남자애들이 다 그 앞에 모여서 보면서 시시덕거리기도 했어요. 아 정말 꼴 보기 싫었어요. 그래서 일부러 여자애들이 남자애들을 다 쫓아내기도 했어요. 근데 이영선은 전혀 신경 쓰지 않았어요. 아 생각만 해도 정말 소름끼치네요."

"그래서 그네에서 봤습니까?"

"뭘요?"

"그네 앞에서 속옷 안 입은 걸 봤습니까? 그러니까 그 치마 속을 본 건가요?"

신주리는 잠시 고개를 갸웃거렸다. 기억이 나지 않는 것 같기도 했고, 도형사가 그런 취향인 것인지 혼란스러워 하는 것 같기도 했다.

"봤데요."

잠시 후에 신주리가 자신없이 대답했다.

"누가요?"

신주리는 다시 입을 다물었고, 도형사는 질문을 바꿨다.

“정수철이 사고 나던 날 말입니다. 그날 상황을 좀 말해주실 수 있습니까?”
“그건 저도 잘 몰라요. 선생님하고 수철이 엄마하고 그렇고 그렇다더라 하는 소문은 있었어요. 근데 저는 그게 헛소문일 거라고 생각했거든요. 왜냐하면 선생님이 인기가 있었어요. 시골 학교에 젊고 잘생긴 남자 선생님이 혼자 살고 있으니까요. 게다가 선생님은 친절하고 다정하고 가난한 여자애까지 돌봐주는 좋은 사람이니까 사람들이 모두 좋아했어요. 그런데 수철이 엄마랑 그렇고 그런 관계라니까 좀 어이가 없긴 하죠. 어쨌거나 그날은 누구였지? 아무튼 누가 숙제를 늦게 냈어요. 그래서 직접 관사로 선생님을 만나러 갔어요. 그런데 거기서 수철이 엄마가 나오는 것을 봤데요. 그런 말이 퍼지는 거야 뭐 순식간이죠. 몇 명 되지도 않으니까요. 수철이 귀에 그 얘기도 들어갔나봐요. 수철이가 관사로 달려가는 것을 누가 봤다고 하는데... 어떻게 산에 올라갔는지는 모르겠어요.”

도형사는 가로등도 없는 어두컴컴한 커피숍 앞에서

신주리와 헤어져 한참을 어둠 속에서 가만히 서 있었다. 도형사는 신주리의 말을 전적으로 믿지 않았다. 그녀가 사소하게 거짓말을 하고 있다는 의심을 지울 수 없었다. 김순경이 그녀와 사랑에 빠진 것이 안타까웠다. 아주 가까이에서 철썩거리는 파도 소리가 들려왔다. 도형사는 눈을 감은 채 발밑까지 차오를 것 같은 파도 소리를 듣고 있었다. 보이지 않는 파도가 점점 더 가까이 다가오고 있는 것 같았다.

## 14.

2007년 가을, 도계

최형우는 도계 중학교에서의 생활이 못 견디게 답답했다. 시내는 100미터도 되지 않았고 모든 사람들이 도계중학교 선생님 최형우를 알고 있었다. 딱히 나쁜 일을 하고 싶은 것은 아니었고 그런 사람도 아니었지만, 최형우는 자신의 일거수일투족을 모든 사람들이 알고 있다는 사실이 싫었다. 술집이라도 가려 하면 손님들이 최형우를 아는 체 했다.

“아이고 이거 선생님 아니십니까? 여긴 웬일이십니까?”

이렇게 묻는 통에 술맛이고 뭐고 딱 떨어진다. 여종업원의 손 한 번 잡을 수도 없었다. 술집에 술 마시러 오지 다른 일로 왔겠는가. 내년에는 무슨 일이 있어도 전근신청을 하리라고 마음먹었다.

유일하게 말이 통하는 사람은 그나마 하나 있는 병원의 원장이었다. 나이는 최형우보다 많았지만 여행도 많이 다녀서인지 최형우의 답답함을 이해해 주었다. 마을에서는 꽤나 존경받는 인물이었지만, 최형우에게는 격 없이 대해주었고 여자 이야기 따위도 슬쩍 늘어 놓았다. 그도 결혼을 하지 않았으므로 사실 최형우와 다를 바 없었지만 작은 별 병원의 원장은 최형우의 말에 장단은 잘 맞춰 주면서도 딱히 여자에게 관심이 있는 것 같지는 않았다. 그저 최형우를 편하게 대하기 위해 구색 맞추기 식으로 농담을 던지는 식이었다. 사실 그는 꽤나 외골수적인 기질이 있었다.

원장이 관심을 두는 것은 오직 식물들이었다. 그는 진료시간 이외에는 산이나 들로 다니며 나무나 풀들을 채집하고 사진을 찍곤 했다. 그리곤 그것들을 화분에 옮겨 심었다. 최형우는 그것이 번잡스러운 취미생활이라고 생각했지만, 원장은 취미 이상으로 시간과 정성을 들였다.

최형우가 영선이라는 아이를 데려오게 된 것도 작은 별 원장 때문이었다. 주말마다 산으로 다니던 원장은 산에서 버섯을 캐던 남자를 만났고 산속에서 학교도 다니지 못한 채 살고 있는 그의 가족을 안타깝게 여겨서 최형우에게 영선을 데리고 있으면서 학교에 다니게 하면 어떠냐는 제안을 했다. 겉으로 보기엔 멀쩡했지만, 한글도 모르는 15살짜리 여자애는 최형우의 흥미를 끌었다. 게다가 원장과도 친하게 지내고 싶었던 터라 최형우는 흔쾌히 그의 부탁을 받아들였다.

달리 유흥거리도 없어 5일장을 돌아다니는 것이 전부였다. 그곳에서 정말 신기하게도 자신과 비슷한 표정을 지으며 장을 보고 있는 차순영을 봤다. 허연 피부와 가느다란 콧대가 여느 도계 여자들 같지 않았다. 최형우는 분명 약한 사람을 알아보는 재주가 있었다. 차순영도 최형우를 알고 있을 테지만 여느 사람들처럼 호들갑스럽게 아는 척하지 않았다. 가벼운 목례뿐. 그리고 장터 뒷골목에서 다시 최형우와 차순영은 마주쳤다. 인적이 드물어서 사람들이 잘 지나다니지 않는 곳이었다. 차순영은 파가 삐죽이 삐져나온 비닐봉지를 흔들며 골목 끝에서 걸어왔다. 최형우도 주변을 둘러보며 골목 끝에서 차순영을 향해 걷기 시작했다. 두 사람 사이로 쌀집 자전거가 곡예를 하듯 달려갔다. 자전거가 골목 끝에서 방향을 틀어 사라질 때쯤 차순영과 최형우는 1미터 정도로 가까워져 있었다. 골목엔 아무도 없었다. 차순영이 파 봉지를 바닥에 떨어뜨렸다. 차순영이 파를 주우러 몸을 숙였다가 일어나자 최형우의 얼굴이 바짝 다가왔다. 두 사람은 골목 중간, 사람 키만큼 쌓아 올린 배추단 뒤에서 정신없이 섹스를 했다.

최형우는 수업이 끝난 후, 거의 매일 작은 별 병원에 들렀다. 그때쯤이면 병원도 문을 닫을 시간이기 때문에 원장이 타주는 커피를 마시며, - 그 근처에서는 유일하게 원두 커피를 내려 마실 수 있는 곳이었다.- 이야기를 나누었다. 원장에게는 차순영과의 관계를 털어 놓았다. 비밀로 해야 한다는 것을 알고 있었지만 사실 입이 근질근질했다. 도계에 온 이후로 이보다 재미있는 일은 없었다.

"정수철의 어머니 말입니까? 그 친구가 감기 걸렸

을 때 온 적이 있어요. 키가 크고 어깨가 쭉 뻗은 학생이었지요 아마."

원장은 정수철을 떠올리듯 생각에 잠겼다. 그러더니 이내 축하한다고 말했다.

"축하요? 이게 축하할 일이예요?"

이게 축하받을 일이 아니란 것쯤은, 최형우에게도 그 정도의 도덕성은 있었다.

"그런가요?"

말은 그렇게 하면서도 원장의 시선은 창가에 올려 둔 분재에 가 있었다. 볕이 잘 드는 창가는 각종 분재와 원장이 산으로 들로 돌아다니면 캐 온 식물들이 차지하고 있었다. 원장은 화분 하나하나에 정성을 다해 물을 주었다. 행여나 넘칠까 모자랄까 몇 번씩이나 망설여가며 흙이 충분히 젖어들도록 애를 쓰고 있었다. 그런 정성에 비하면 최형우의 불륜에 대한 반응은 무관심에 가까웠지만, 정작 최형우는 눈치 채지 못했다. 분재의 종류는 다양했다. 사과나무, 흑송, 찔

레나무, 신나무, 오간주나무, 단풍나무 등이 원래의 자신의 크기의 100분 1정도의 크기로 허리가 굽어진 채로 작은 화분에 뿌리를 내리고 있었다.

"이건 무슨 나무예요?"
"감나무. 감이 달려 있잖아요."

원장은 감나무를 알아보지 못한 최형우를 나무라듯이 말했다.

"이게 감이라고요?"

최형우는 눈을 끔뻑거렸다. 새끼 손톱만한 주황색 열매가 달려 있긴 했지만 그게 진짜 감이라고는 생각지 못했다.

"감나무가 이렇게 작아질 수 있다니. 괜찮을까요?"
"가을이면 감이 열리고 겨울이며 잎을 떨구고, 진짜 감나무랑 똑같습니다."
"그럼 진짜 감나무가 낫지 않아요? 감도 훨씬 크잖아요. 저건 먹어봤자 맛도 모를 것 같은데요."
"누가 저걸 먹어요? 자식 같은 놈을 어떻게 먹을

생각을 합니까?"

원장의 언성이 갑자기 높아졌으므로 최형우는 감나무 분재를 향해 뻗었던 손을 움츠렸다. 원장은 보통은 온화했지만 분재를 깨트리거나, 간호사가 물을 주는 것을 잊어버리거나 했을 때에는 불같이 화를 냈다. 간호사가 환자의 약을 잘못 내주었을 때에도 그렇게 화를 내지는 않았다.

"분재는 내가 만들어 낸 생명입니다. 내가 나무의 모양을 만들고, 나무의 인생이 어떻게 될지 결정합니다. 내 자식이고, 나의 작품입니다. 세상에 오직 나만이 만들어 낼 수 있는 하나밖에 없는 유일한 존재가 바로 분재입니다. 그냥 나무가 아닙니다. 이 분재는 세상에 하나 뿐이라고요. 똑같은 모양은 존재할 수 없습니다. 여기가 이렇게 휘어진 모양은 다시 나올 수가 없어요. 이건 나의 의지와 나무의 의지가 이 순간 일치했기 때문에 나올 수가 있는 거예요."

최형우는 고작 이런 것으로 원장과 싸울 생각 따위는 없었으므로 미안하다고 사과를 했다. 그리고 저만치 물러나 커피를 마셨다. 분재들 옆으로 낯선 나무가 눈에 들어왔다. 잎이 없는 나무에 마치 혹처럼 선인장들이 달라 붙어 있었다. 그 모양은 원장의 말처럼 아름다운 창조물처럼 보이지 않았을뿐더러 흡사 조화나 장난감처럼 보였다. 최형우는 좀전의 원장의 불같은 화도 잊고 자신도 모르게 선인장 나무에게로 다가갔다. 만져보니 실제 나무였다.

"이게 뭐예요? 진짜 나무예요?"

놀란 최형우의 반응이 재밌다는 듯 원장은 만족스럽게 웃었다.

"신기하죠?"
"이것도 분재예요?"
"분재보다 더 창조적인 녀석들이죠."
"그게 뭔데요?"
"나무와 선인장을 접목한 겁니다. 처음에 죽을 줄 알았는데 의외로 생명력이 길어요. 아마 이대로라면 새로운 종이 될 겁니다."
"새로운 종이라뇨?"
"유전적 결합에 의한 이종교배종인 셈이죠."
"그냥 접붙이기 아닌가..."

최형우는 말을 웅얼거렸다. 원장의 자신만만함이 왠지 마음에 들지 않았지만 그렇다고 딱히 반박하고 싶지도 않았다. 게다가 이종교배종이란 말은 왠지 불결하게 들렸다. 자신이 학생의 엄마와 배추단 위에서 벌거벗은 다리를 엉기는 것보다 훨씬.

"그냥 접붙이기가 아닙니다. 그냥 접붙이기만 했다면 선인장이 저렇게 오래 자라지 못해요. 이 나무는 이제 잎이 자라지 않습니다. 잎 대신 선인장이 그 역할을 하고 있는 것이죠. 잎이 없는 나무라니! 이 나무는 아마 사막에서도 자랄 수 있을 겁니다."

하지만 모양새는 별로였다. 사막에서 이런 나무들이 아무리 자란다고 하더라도 아무런 도움이 되지 않을뿐더러 오히려 기괴한 사막이 되어갈 것 같다는 생각이 들었지만, 최형우는 그냥 고개를 끄덕였다.

"대단하네요."
"그럼요. 다 제 자식들입니다. 커피 한 잔 더 하시겠습니까?"
"네."
"가실 때 하나 가져가세요. 제가 학교에 기증하는

것으로 하겠습니다. 학생들도 이런 새로운 것들을 보면 좋지 않습니까?"
"이런 시골에서 너무 급격히 기술적인 것을 보게 되는 것 아닐까요? 학생들이 놀라겠는데요."
"아하하하하 그런가요?"

원장은 최형우의 발린 말에 기분이 좋아져서 콧노래까지 부르며 커피를 내렸다.

"근데 저 나무 선인장의 이름은 뭐예요?"
"마크로레피오타."
"마크로레피오타, 마크로레피오타"

최형우는 잊어버릴까봐 몇 번이고 중얼거렸다. 그 모습을 본 원장은 뿌듯한 표정을 지었다.

"무슨 뜻입니까?"
"사실은 어떤 버섯 이름입니다."
"그럼 저 나무 선인장 이름이 아니잖아요."
"하지만 한 번도 발견된 적 없는 버섯이에요. 아무도 본 적 없는 버섯이죠. 그냥 이름만 존재하는 버섯입니다. 그러니 저걸 마크로레피오타라고 한다고 해서 잘못될 것도 없죠."

최형우는 고개를 갸웃거렸다. 여러 가지 의미로 나무 선인장은 새로운 존재이긴 했지만 어딘가 불법적인 느낌이 들었다. 이름도 남의 이름이라니.

"그냥 나무 선인장이라고 하면 어때요?"
"아니요. 나는 마크로레피오타라는 이름이 좋아요. 가지고 싶어요."
"하지만 버섯 이름이라면서요."
"상관없어요. 어차피 누구도 본 적이 없다니까요. 아무도 몰라요. 아무도 모르는 건 없는 것과 마찬가지예요."

아무도 모르는 것은 없는 것과 마찬가지다. 최형우는 이 말을 오랫동안 중얼거렸다. 작은 별 원장이 알고 하는 말인지는 알 수 없었지만, 이 말은 최형우와 차순영의 관계와 같았다. 아무도 모르면 최형우와 차순영의 관계도 없는 것과 마찬가지일까. 그렇게 사라지게 되는 것일까. 이는 또한 최형우에게 하는 말이기도 했다. 최형우가 도계중의 이름 없는 선생님으로 평생 살아간다면 그건 이 세상에 존재하지 않는 것과 마찬가지일까.

최형우는 수철이 엄마와의 관계를 원장에게 말한 것을 후회했다. 원장은 최형우와 차순영의 관계를 무시하고 있다는 것을, 나아가 최형우의 존재까지도 무시하고 있다는 것을 어렴풋이 알아차렸지만, 정작 최형우는 그 순간 아무런 대응도 할 수 없었다. 원장의 화분에 단단하게 심겨진 야생의 식물들처럼. 원장이 건네준 마크로레피오타를 들고 학교로 돌아오면서, 최형우는 커피를 좀 줄여야겠다고 생각했다. 하지만 최형우는 그럴 수 없을 것이다. 그는 언제나 유혹에 약했다. 그는 차순영과의 관계처럼 커피도 작은별 원장의 불쾌한 이야기도 끊어낼 수 없을 것이다.

최형우와 차순영은 남모르게 만나 섹스를 했다. 차순영의 중학생 아들이 최형우의 학생으로 들어왔고 차순영은 입학식 때에도 학부모 모임 때도 뻔질나게 학교를 드나들며 최형우와 잤다. 모두들 눈치를 채고 있는 것도 같았지만 설마 설마 하는 것 같았다. 그래서인지 차순영은 점점 더 대범해져서 아들 정수철이 수업을 받는 중에 최형우의 관사로 들어가 옷을 모두 벗은 채 최형우의 이불 속으로 들어가 있었다. 점심

시간에 관사에 들른 최형우는 소스라칠 듯 놀랐다가 미끄러지듯 차순영의 몸 속으로 빠져들었다.

최형우는 이쯤에서 끝내야 한다고 생각하고 있었지만 이런 아찔한 순간들을 포기하고 싶지 않았다. 매번 차순영과 그런 순간이 올 때마다 최형우는 거절하지 못했다.

점심시간에 이미 한차례 섹스를 했지만 차순영은 집에 돌아가지 않았다. 최형우가 수업을 마치고 올 때까지 기다려 놀래킬 셈이었다. 사소한 일탈을 좋아하는 것. 그것은 최형우와 차순영이 서로에게 이끌리는 점이기도 했다. 학생들이 모두 집에 돌아갈 때까지 기다릴 셈이었지만 화장실이 너무 급해 도저히 참을 수가 없었다. 참다 참다 방문을 나섰을 때 아이들이 수업을 마치고 교실을 빠져나오는 소리를 들을 수 있었다. 얼른 관사를 돌아 화장실에 갔다가 다시 돌아오니 방문 앞에 영선이 오도카니 앉아 있었다.

"너 여기서 뭐하니?"

차순영은 등 뒤에서 아이들의 목소리가 가까워지고

있는 것을 알고 있었다. 방으로 빨리 들어가야 한다는 생각에 마음이 급해졌다. 영선은 대답 없이 그대로 앉아 있기만 했다. 차순영은 참을성이 있다거나 누군가를 배려하는 성격이 아니었다. 아마도 그런 성격 탓에 의심이라곤 할 줄 모르는 정성일을 두고 천연덕스럽게 바람을 피울 수 있는 것인지도 몰랐다.

영선은 대답도 없이 그대로 앉아 있었다. 하지만 차순영에게 돌아가라고 말하는 것 같아서 차순영은 몹시 불쾌해졌다. 평소에도 차순영은 영선이 마음에 들지 않았다. 작은 키지만 잘 균형 잡힌 몸이었다. 머리가 좀 모자란다고 하지만 언뜻 보면 알 수 없었다. 자기 머리가 모자란 것을 아는지 말도 잘 하지 않는 아이였다. 그런 아이를 데려다가 굳이 학교를 다니게 한다는 게 이해가 되질 않았다. 적어도 그녀가 알고 있는 최형우는 그렇게 박애정신이 풍부한 사람이 아니었다. 최형우는 차순영과 똑같이 이기적이고 자기밖에 모르는 사람이었다. 그렇기에 이 관계가 유지되는 것이기도 했다. 누군가 뭔가 더 큰 것을 요구하거나 희망 따위를 가진다면 이 관계는 유지될 수 없었다. 아니 애초에 이루어질 수도 없었다. 차순영에게는 최형우에게 무언가를 하도록 하거나 그만두게 하는 권리 따위도 역시 없었으므로, 영선을 내보내라거나 하는 말 따위는 할 수 없었다.

“영선아, 비켜”

영선은 꼼짝도 하지 않았다. 차순영은 영선을 발로 밀었지만 작은 덩치임에도 영선은 몸에 힘을 주고 버티고 있었다. 왠지 모를 광기 같은 것이 느껴져 차순영은 움찔 물러났다. 다시는 영선의 몸에 손을 대고 싶지 않았다. 아이들의 목소리가 아주 가까이에 왔음을 알 수 있었다. 조금만 더 있으면 아이들이 이 앞으로 지나갈 것이다. 수철이 엄마가 왜 선생님 집에 있냐는 말이 나오기 전에 이곳을 떠나야 한다. 이대로 돌아서거나 아니면 이 여자아이를 밀치고 아예 들어가거나. 둘 중 하나를 선택해야 했다. 차순영은 눈을 질끈 감고 영선을 밀쳤다. 이 여자아이 때문에 최형우를 떠나고 싶지 않았다. 영선의 어깨 어디쯤이 차순영의 손 끝에 닿았다고 생각하는 순간, 차순영은 엄청난 힘으로 밀려나 바닥에 나동그라졌다. 눈을 뜨자 영선은 아직 그 자리에 그대로 있었고 자신만 마루 밖으로 밀려나 마당에 널부러져 있었다. 조금 전까지 점점 커지던 아이들의 목소리가 더 이상 들리지 않았다. 고개를 들자, 신주리가 노트를 들고 놀란 눈으로 차순영을 내려다보고 있었다. 신주리보다 놀란 차순영은 그대로 관사 뒤편의 산 위로 도망치듯 달아났다.

신주리의 저만큼 뒤에서, 아이들을 보내고 걸어오던 최형우는 차순영이 산쪽으로 정신없이 내달리는 뒷모습을 보고는 무슨 일인가 싶어 뒤쫓아 갔다.

신주리는 소문이 사실이었구나 싶은 생각이 들어 마루 끝에 숙제 노트를 올려놓고서는 바로 정수철에게 갔다.

"너희 엄마 학교 오셨더라. 관사에서 나오시던데 무슨 일 있어?"

라고 모르는 척 말을 건넸다. 얼굴이 파래진 정수철은 대번 관사로 달려갔다. 정수철이 관사에 도착했을 때 마루 끝에서 다리를 흔들며 영선이 앉아 숙제 노트를 뒤적거리고 있었다. 영선은 정수철을 보자 환하게 웃으며 산을 가리켰다.

휘적거리며 산에 오른 정수철은 덤불 속에서 선생

님과 자신의 엄마가 뒹굴어져 있는 모습을 보고 뒷걸음질 치다가 발을 헛디뎌 굴렀다. 그 모습을 보고 최형우와 차순영이 옷을 추스르고 달려왔을 때 정수철은 어느 돌에 머리를 찧고는 정신을 잃고 바닥에 널브러져 있었다.

최형우는 정수철을 업고 병원으로 달려갔지만 별다른 외상이 없었으므로 깨어나길 기다려보자는 말만 들었다. 정수철이 다쳤다는 말을 전해 들은 신주리는 겁이 나 입을 다물었고 최형우와 차순영도 그와 같았다. 1주일이 지나도 정수철은 깨어나지 않았다. 큰 병원에 가보자는 정성일의 말을 무시한 채 차순영은 정수철을 붙들고 집으로 돌아갔다. 집으로 돌아가자마자 방에 두꺼운 천을 늘어뜨려 햇빛을 막고 대문을 걸어잠궜다. 정성일만은 이 모든 상황을 책임지려 애를 쓰고 있었지만 역부족이었다.

아내 차순영은 이사를 원했고 정성일은 따라주었다.

15.

2015년 4월 30일 서울

지훈이 씻고 나오자 욕실 앞에 영선이 앉아 있었다. 지훈이 설거지를 하자 지훈의 옆에 영선은 서 있었다. 지훈이 세탁기에서 빨래를 널자 영선은 또 옆에서 있었다.

"그냥 저기 가서 앉아 있어요."

보다 못한 지훈이 말하자 영선은 미적미적 거실로 돌아가 앉았다. 그리곤 이내 벌떡 일어나, 다용도실로 달려가 세탁기에 머리를 쳐 박았다.
"왜 그래요?"

지훈이 묻자,

"불안해서요."

영선이 대답했다.

"수철이는 움직이지 않았는데 지훈씨는 자꾸 움직이니까 어떻게 해야 할지 모르겠어요."

지훈과 영선은 나란히 앉았다. 지훈은 움직이지도

않고 가만히 있었다. 영선은 그제야 지훈의 옆에 가만히 앉아 있었다. 얼마나 시간이 흘렀을까. 지훈의 엉덩이가 저릿저릿할 때 즈음 지훈은 분명히 느낄 수 있었다. 영선의 몸에서 긴장이 흘러 나가는 것을. 영선이 농담을 하는 것도 느껴졌다. 영선의 팔과 등과 어깨가 미동도 없이 농담을 건네고 있었다. 두 사람은 말없이 나란히 앉아 농담도 하고 장난도 쳤다. 그러다 손끝이 아릿아릿한 것도 느껴졌다. 순간 영선의 가슴이 부풀어 오르며 커지는 것도 느껴졌다. 지훈의 아랫배가 화끈거렸다. 숨기고 싶다고 생각할수록 더 화끈거렸다. 아마 영선도 이것을 느끼고 있을 것이다. 바짝 마른 입술이 축축해지는 순간이 느낌이었는지 진짜였는지 구분이 가지 않았다.

두 사람은 서로 부둥켜안고 온 방안을 뒹굴고 다니며 섹스를 했다. 두 사람이 했던 것이 섹스인지 뭔지 정확히 알 순 없었지만 두 사람은 그러고 싶다는 생각이 강렬하게 들었다. 어디론가 들어가고 싶고 부둥켜안고 싶고 떨어지고 싶지 않았다.

어디선가 두 사람이 쿵쿵대는 소리보다 강렬한 쿵 소리가 들려왔다. 무시하려 했지만, 다시 또 쿵.

지훈과 영선이 윤 씨 할아버지의 집에 들어서자 윤 씨 할아버지는 베란다에 간신히 매달려 있었다. 윤 씨 할아버지를 끌어 냈을 때 그의 한쪽 팔은 부러진 상태였다. 지훈은 내일 와서 도와주겠다고 한 자신의 약속을 기억해내지 못했지만, 더 좋은 생각을 떠올렸다.

“이 할아버지를 병원에 데려가자!”
“????”
“그럼 니가 다치지 않아도 병원에 들어갈 수 있잖아.”

마침내 영선과 지훈은 윤 씨 할아버지를 데리고 당당하게 병원 정문으로 들어갔다. 윤 씨 할아버지와 함께 있는 한 아무도 지훈과 영선을 저지하지 못했다. 병원의 간호사들도 전에 없이 친절하게 영선에게 말을 건네주었다. 영선은 윤 씨 할아버지가 참으로 대단한 사람이구나 하는 생각을 했다.

지훈과 영선은 윤 씨 할아버지를 응급실에 두고 장기입원 환자 병동을 돌아다니며 정수철을 찾았다. 지훈은 정수철의 얼굴을 몰랐으므로 주로 길을 찾는 일을 했다. 그런 데에 있어선 영선은 젬병이었다. 정수철을 찾지 못하고 이들이 다시 윤 씨 할아버지에게 돌아왔을 때 윤 씨 할아버지는 아직도 응급실 침대에 누워 헛소리를 해대고 있었다. 도대체 어디 갔다 왔냐는 간호사의 말에 죄송하다고 고개 숙여서 지훈이 인사했다. 그것을 본 영선도 얼른 고개를 허리만큼이나 숙이고 죄송하다고 인사했다. 간호사는 그런 영선과 지훈을 보고 피식 웃더니 할아버지가 입원을 하셔야 하니 입원수속을 밟으라고 했다.
"입원은 필요 없습니다. 그냥 치료만 해주세요. 통원치료를 할게요."

지훈이 또릿또릿하게 말했음에도 불구하고 간호사는 지훈의 의도를 파악하지 못하고 친절하기만 했다.

"할아버지 어깨가 이 지경이 되도록 그냥 두면 어떡하니. 관절이 상한지 시간이 좀 지났고 나이도 있으셔서 입원치료 하셔야 해요. 치매 검사도 받으셔야 하고, 온몸에 난 상처가 곪아서 염증이 심하셔. 고집부리지 말고 가서 입원수속 밟으세요."

하지만 지훈은 윤 씨 할아버지를 데리고 병원을 나

섰다. 윤 씨 할아버지가 입원을 해버리면 다른 병원을 뒤져볼 수 없다고 지훈이 말했을 때 영선은 지훈의 머리 뒤에서 빛이 비치는 것 같은 느낌이 들었다. 영선은 왜 그런 생각을 미처 하지 못했던가. 영선은 윤 씨 할아버지를 데리고 집으로 돌아갔고 지훈은 바로 도서관으로 출근을 했다.

영선은 윤 씨 할아버지를 그의 집으로 모시고 갔다. 영선은 윤 씨 할아버지의 자리를 돌봐준 뒤 집안을 치웠다. 말끔해진 거실에 배를 깔고 누웠다. 지도를 펼치고 병원을 표시해갔다. 오늘 다녀온 병원에 엑스표를 그었다. 윤 씨 할아버지만 있으면 어느 병원이든 다 갈 수 있다고 생각하니 기분이 좋아져서 엎드려 다리를 좌우로 흔들었다. 이제 곧 정수철도 찾아낼 것이다. 윤 씨 할아버지가 방안에서 "지진이다"하고 소리를 질렀다. 영선은 병원에서 받아온 약봉지를 들고 윤 씨 할아버지 방으로 들어갔다.

저녁 무렵 퇴근해서 돌아온 지훈이 벽을 두드렸다.

"나 왔어!"

영선은 발딱 일어나 지훈의 집으로 돌아갔다.

아침이 되자 영선은 윤 씨 할아버지의 옷을 입혀 병원으로 데리고 갔다. 택시를 타는 방법은 지훈이 자세하게 설명해 주었다. 진찰을 기다리면서 영선은 혼자 장기병동으로 올라가 재빨리 둘러보고 돌아왔다. 윤 씨 할아버지는 화장실이 가고 싶어 눈썹을 한껏 치켜 올리고 있었다. 영선은 얼른 윤 씨 할아버지를 데리고 남자 화장실로 들어갔다. 다른 남자 환자들이 흠칫 놀라며 바지춤을 잡고 엉거주춤 영선을 바라보고 있었지만 영선은 전혀 개의치 않았다. 바지를 내리고 변기에 윤 씨 할아버지를 앉혔다. 오줌이 흘러나오는 소리가 들리고 한숨을 돌리며 주위를 둘러봤을 때, 비로소 남자들이 시원스레 오줌을 싸지도 못하고 나가지도 못한 채 영선의 눈치를 보고 있다는 것을 알아차렸다. 그렇다해도 영선은 개의치 않았다. 윤 씨 할아버지의 오줌 소리가 그치자 바지를 치켜 올리고 남자 화장실을 나섰다.

의사는 윤 씨 할아버지의 어깨가 기브스를 해야 하는 상태라고 말해주었다. 염증이 심해지고 있다고 한다.

"기브스를 하면 병원에 또 갈 수 있나요?"

영선이 의사에게 물었을 때 의사는 의아한 표정으로 대답했다.

"기브스를 풀 때 오셔야죠."
"내일이요?"
"네? 아니요. 두 달 후에 오시면 됩니다. 상태를 봐야겠지만 나이가 있으시니까 시간이 좀 더 걸릴지도 모르겠네요."
"아… 그럼 안 되는데요"

의사는 영선의 말을 이해하지 못하고 되물었다.

"뭐가 안 된다는 말씀이신지…?"
"매일 병원에 올 수 있게 해주세요. 두 달 후에 오게 되는 건 너무 늦어요."

영선이 기브스를 거부했으므로 의사는 임시방편으로 나무를 어깨에 대어 주었다. 오늘의 의사는 어제의 의사처럼 윤 씨 할아버지의 입원을 권했지만 영선은 그 역시도 거부했다. 영선은 진료실 앞에 놓인 휠체어에 윤 씨 할아버지를 앉혀서 병원 밖으로 나왔다. 그리고 택시를 잡고 윤 씨 할아버지를 택시에 태웠다. 의도치 않게 기사 아저씨는 휠체어를 접어서 트렁크에 실어주었다. 택시 기사는 영선을 기특한 듯이 쳐다보고 할아버지 때문에 고생이 많다며 택시비도 깍아주었다. 윤 씨 할아버지와 함께 있으면 온 세상 문이 영선에게 열리는 것 같은 기분이었다.

휠체어가 있으니 윤 씨 할아버지를 데리고 다니는 일이 한결 편했다. 그래도 진달래 아파트에는 엘리베이터가 없었으므로 5층까지 가려면 영선이 윤 씨 할아버지를 업어야 했다. 업은 영선의 체구가 너무 작았으므로 뒤에서 보면 윤 씨 할아버지가 목 매달린 귀신처럼 계단을 오르는 모습이 낡은 아파트 복도의 풍경과 더불어 섬뜩해보였다.

윤 씨 할아버지를 침대에 뉘인 영선은 젖은 수건으로 할아버지의 손과 얼굴을 닦아 주었다. 영선은 죽을 만들어 윤 씨 할아버지가 거의 씹지 않고도 넘길 수 있도록 먹여 주었다. 윤 씨 할아버지의 어깨는 조금도 나아지지 않았지만 통증은 덜해졌다. 통증이 덜해지자 윤 씨 할아버지는 끝도 없는 이야기를 늘어

놓았다. 네팔에 있는 누군가를 찾고 있는데 거기에 지진이 났다는 둥 하는 밑도 끝도 없는 이야기였다. 영선은 그가 마음껏 말하도록 해 주었다. 가끔 추임새를 넣어주면 윤 씨 할아버지는 만족스러운 듯 웃음을 지었다. 왜 아픈 사람들은 이렇게 수다스러운 것일까.

전화번호부의 병원들을 하나하나 그어갔지만 여전히 정수철은 찾지 못하고 있었다. 병원비와 택시비로 엄청난 돈이 나갔다. 그동안 지훈은 씀씀이랄 것이 거의 없었으므로 저축한 돈이 꽤 있긴 했지만 갑자기 늘어난 병원비 지출에 지훈은 당황했다.

영선은 햇볕이 내리쬐는 오후에 배를 깔고 엎드려 신문을 보는 일을 좋아했다. 병원에서 돌아오는 길엔 주워갈 수 있도록 내놓은 새 신문들이 많았다. 그 신문들을 한가득 주워와서 방안 가득 펼쳐 놓고 하나하나 읽어 나가는 일을 영선은 좋아했다. 외돌 바위에 있을 때에도 영선은 수철이 낮잠을 잘 때 계곡으로 나갔다. 계곡이나 산엔 사람들이 버린 쓰레기가 많았는데 그 중에 신문이나 과자 봉지를 영선은 특히 좋아했다. 오래되고 낡고 흙 속에 묻힌 신문지를 판판하게 펴서는 책처럼 만들어 읽고 또 읽었다. 신문은 금세 찢어져버리므로 제대로 된 글씨가 많은 큰 조각을 찾는 것은 쉽지 않았다. 반면 과자 봉지는 반짝거리고 질기고 색깔이 다양해서 좋았다. 최형우 선생님은 한 달에 한 번 와서 한글을 쓰는 법과 읽는 법을 가르쳐 주었지만 한 번도 책을 가져다 준 적은 없었다. 이미 영선이 읽는 것과 쓰는 것을 다 알게 된 이후에도 최형우 선생님은 여전히 'ㄱ ㄴ ㄷ'을 앵무새처럼 가르쳐 주었다. 그러다 정수철의 엄마가 들어서면 들뜬 짐승처럼 변해서 쪽방으로 함께 들어가곤 했다. 그럴 때면 영선은 정수철을 업고서 밖으로 나왔다. 정수철이 그들이 쪽방으로 들어가는 것을 싫어하기 때문이었다. 정수철은 마구 비명을 질러댔는데 그 비명이 최형우 선생님과 정수철의 엄마에겐 전혀 들리지 않는 모양이었다. 영선은 정수철의 비명 때문에 귀가 멀어버릴 지경이었지만 두 사람은 전혀 개의치 않았다. 영선이 정수철을 업고 개울가로 나오면 수철은 비명을 멈추었다. 그저 개울 소리만 들려왔다.

"어, 여기 버섯이 있다."

영선은 수철을 잠시 혼자 두고 바위 아래로 기어

내려갔다. 햇볕이 들지 않는 그곳엔 버섯 군락이 자리 잡고 있었다. 아빠와 버섯을 따러 다닐 때 몇 번 보았던 버섯을 기억하고 있었다. 좀처럼 눈에 띄지 않는 귀한 버섯인데 이곳엔 군락을 짓고 있는 모양이 신기했다.

'나도 보여줘.'

한참이 지나도록 영선이 돌아오지 않자 불안해진 수철이 다그쳤다. 영선은 버섯에 정신이 팔려 수철의 말 따위는 무시해버렸다. 버섯 군락의 모습에 흥분해 버렸다. 아빠에게 말하면 우리 영선이 대단하다고 칭찬해 줬을 텐데. 비록 먹을 수는 없는 버섯이지만 귀한 것이라고 몇 번이나 말을 해줬을 것이다. 영선은 한 번만 들어도 기억할 수 있었지만, 아빠는 그렇게 몇 번을 말해야 자신이 말했다는 것을 기억했다.

'누가 와! 누가 오고 있어. 선생님이 오나 봐. 날 밀어 버릴지도 몰라. 저 사람은 날 싫어하니까. 빨리 와. 어디 간거야? 날 또 밀어버리려고 오나봐.'

수철이가 이렇게 누워 있지 않았다면 아마도 이야

기를 지어내는 사람이 됐을지도 모르겠다.

"그런 거짓말에 속을 것 같아. 저 사람들이 가려면 아직 좀 더 기다려야 해."
'진짜야. 누가 오고 있다니까.'

영선은 코웃음을 치며 버섯에 집중했다.

"냄새가 엄청 좋지? 하지만 먹으면 큰일 나. 우리 영선이는 절대 이거 먹으면 안돼. 그럼 큰일 나. 정말 큰일 나. 큰일 나."

세 번씩 말하는 건 진짜 큰일이라는 뜻이었다. 영선은 아빠를 보며 "큰일 나."라고 말했다. 그제서야 아빠는 안심했다.
다정한 사람. 영선은 아빠를 그렇게 기억하고 있었다.

16.

최형우는 차순영의 이마에 입을 맞추려고 했지만 차순영은 귀찮은 듯 몸을 뺐다. 벌거벗은 두 사람의 몸 사이를 눅눅한 이불이 파고 들었다.

"10분만 있다가 가."
"왜? 오랜만에 만났는데 조금 더 있다가 갈래."

최형우는 다시 차순영의 몸을 끌어안으며 달라붙었다. 최형우는 나이가 들어서도 여전히 징징거리는 습관이 남아 있었다. 처음 만났을 때에는 차순영도 그의 그런 태도가 애교나 다정함이라고 생각했지만 지금은 아니었다.

차순영은 일어나 옷을 주섬주섬 챙겨 입었다. 눈치 빠른 최형우는 더이상 들러붙지 않았다.

"나랑 도망갈래?"

최형우가 말했다. 차순영은 당황한 듯 하더니 이내 피식 웃어버렸다.

"8년 전에 말했다면 그래라고 대답했을 거야."
"지금은?"
"싫어."

최형우는 이미 대답을 예상한 듯 조금 시무룩한 표정을 지었다.

"이젠 내가 싫어?"

그 말은 차순영의 화를 오히려 돋구었다.

"그게 중요하냐?"
"그럼 내가 좋으면 나랑 도망가는거지. 싫으면 말고."
"좋아해도 안 가고, 싫어해도 안 가."
"수철이 수술 날짜 잡혔어."

차순영은 셔츠에 한쪽 팔만 끼운 채로 멈췄다.

"정말이야?"
"응. 박원장이 그러더라. 돈 준비하라고."
"돈이야 준비됐지. 언제래?"
"20일 정도 일걸?"
"잘됐다. 너무 잘됐다. 우리 수철이 이제 걸을 수도 있고 말할 수도 있고 그렇게 되는거야. 보통사람처럼."

차순영의 얼굴에 본 적 없던 웃음이 떠올랐다. 최형우는 차순영의 얼굴에 떠오른 그 낯선 웃음이 보기 싫었다.

“좋아?”
“그럼 좋지. 수철이 아빠랑 나는 이 날만 기다리며 살았어.”
“나랑 도망가는 거보다 좋아?”
“제발 그런 얘기 좀 그만 해. 얘처럼 왜 그래?”
“비밀 하나 알려줄까?”
“뭔데?”
“그 수술해도 수철이는 예전처럼 그렇게 될 수 없어. 그 수술은 실패할거야.”
“너 정말...”

차순영의 얼굴이 일그러졌다.

“사람이 이러면 안되는거야. 최형우, 너도 이제 정신 차리고 그 여자 말대로 시험을 보던가 아니면 학교 선생 자리로 돌아가던가 해. 언제까지 이렇게 살거야?”
“봐. 내가 사실을 말해도 넌 안 듣잖아.”

"애초에 박원장을 소개해 준 건 너야. 잊었어?"
"나도 잘 몰랐으니까."
"그럼 이제 뭘 알게 됐는데?"
"박원장이 그랬어. 다시는 수철이를 볼 수 없을거라고. 수철이는 너도 정성일도 기억해 내지 못할거래."
"그게 왜 실패야? 그거야 말로 완벽히 수술에 성공하는 거지. 오히려 잘됐어. 사고 나기 전의 기억은 없는 게 좋아. 나도 그건 잊고 싶은 걸."
"나쁜 년."
"누가 누구 보고 나쁜 년이래? 넌 완전 개새끼야."

서로에게 욕을 해대고 나자 오히려 마음이 편안해졌다. 한 번 더 끌어안고 싶은 마음까지 들었지만 무리였다.

"난 수철이가 자기 힘으로 살 수 있으면 그걸로 돼. 날 기억 못 해도 상관없어. 나 같은 거 기억해서 뭐하게? 차라리 잊고 전혀 다른 사람으로 살 수 있으면 난 그걸로 만족해."
"그럼 넌 어떻게 되는데?"
"나? 나는 내 남편이랑 둘이 쓸모없이 늙어가겠지."

"나랑 도망가. 우리 돈도 있잖아."
"무슨 돈?"
"보험금 나온 거 있잖아."
"지금 내 아들 수술비를 가지고 너랑 야반도주를 하잔 말이야?"
"꼭 그런 말은 아니야..."
"그 말이 그 말이지. 니가 모은 돈을 들고 와서 도망가자고 해도 도망 갈까 말깐데 심지어 내 아들 수술비를 들고 도망가자고? 너는 그렇다 쳐도 내가 그렇게 아무 생각 없어 보여? 내가 그 정도로 쓰레기처럼 보여?"
"어차피 수철이는 예전처럼 될 수 없다니까. 니가 아무리 그렇게 애를 써도 과거로 돌아갈 수 있는 건 아무것도 없어. 이제 포기해."
"거짓말. 니 말을 믿으라고? 넌 아무것도 희생하지 않아. 말만 나불거리지. 그 말조차도 책임지지 못하면서 니 말을 믿으라니, 이게 무슨 개소리야."
"너 내 말 안들은 거 후회하게 될걸."
"이젠 협박까지 하시겠다?"
"협박 아니야. 난 너 사랑해. 사랑하니까 말하는 거야."
"닥쳐."

“너도 날 사랑하니까 여기까지 온 거야. 안 그래? 아니라고 말할 수 있어?”

“그래 사랑해. 사랑했지. 그런데 더 이상은 아니야.”

“그것 봐. 우리가 서로 사랑하는 건 분명해. 그리고 함께 할 수 있는 기회도 있고 돈도 있어.”

“그 기회와 돈은 니 것이 아니야. 남의 것을 니 것이라고 착각하지 마.”

“아무도 모르는 건 없는 것이나 마찬가지래.”

“무슨 소리야?”

“그 돈은 아무도 몰라. 수철이의 존재도 아무도 몰라. 기억하는 건 너와 나, 정성일 뿐이잖아.”

“그래서 무슨 얘길 하고 싶은 거야?”

“우리가 그것을 쓰는 것은 우리가 그들을 기억하는 방법이 될 수 있다는 거야.”

“넌 진짜 나이 들수록 이상해져.”

차순영의 한심하다는 눈빛에 최형우는 상처 입은 표정을 지었다. 차순영은 그의 표정에 익숙했다. 동시에 익숙한 그와의 모든 것들이 이젠 과거가 되었다는 점도 분명히 알 수 있었다. 어쩌면 8년 전에 이미 끊어냈어야 할 사람이었다.

"여긴 어차피 정리할 테니까 다음 달부터는 오지 않아도 돼."
"그럼 우린 어떻게 해?"
"못 보는 거지."
"아, 그건 너무 슬픈데"
차순영은 최형우를 남겨둔 채 그 방을 나섰다. 아직 수철과 영선은 돌아오지 않은 상태였다. 그들이 돌아오기 전에 최형우가 떠났으면 좋겠다는 생각을 했지만 최형우는 여전히 방안에서 미적대고 있을 게 틀림없었다.

차순영은 마음이 한결 가벼워졌다.
끝나지 않을 것만 같던 긴 여행이 끝났다.

17.

영선이 병원에 가기 위해 윤 씨 할아버지의 아파트에 들어섰을 때 그는 거실 한가운데 목을 맨 채로 매달려 있었다. 베란다 밖으로 매달린 서랍장은 바닥에서 겨우 1cm 정도 띄워져 있었고 둘 사이를 이어준 줄은 윤 씨 할아버지의 몸이 매달릴 딱 그 정도의 길이였다. 드디어 윤 씨 할아버지가 죽기에 완벽한 조건이 딱 맞아 떨어졌다. 영선이 윤 씨 할아버지를 내려 침대에 다시 뉘였지만 한참이나 움직이지 않았다. 영선은 윤 씨 할아버지를 들쳐 업고 아파트 계단을 내려갔다. 휠체어에 윤 씨 할아버지를 앉히고 택시가 잡히는 큰길까지 걸었다.

진달래 아파트 앞 슈퍼 주인은 가게 앞을 멍하니 바라보다가 자리에서 저도 모르게 일어났다. 영선이 미는 휠체어에 앉은 윤 씨 할아버지의 모습이 낯설어 보였다. 아프다는 말은 들었지만 저건 아픈 게 아닌 거 같은데 하는 생각이 들어 고개를 갸웃했다.

영선이 택시를 향해 손을 흔들 때 윤 씨 할아버지가 바닥으로 툭 떨어졌다. 다가오던 택시는 뭔가 이상한 느낌이 들었는지 서지도 않고 그대로 가버렸다. 번잡한 시내 한가운데서 영선은 축 늘어진 윤 씨 할아버지의 몸을 휠체어로 끌어올리느라 안간힘을 썼다. 전에 없이 버거워져서 영선의 힘으로는 어림도 없었다. 지나가는 사람들이 영선을 흘끔거렸다. 한 건장한 남자가 영선에게 다가왔다.

"도와드릴까요?"

영선은 고개를 끄덕였다. 남자가 윤 씨 할아버지의 겨드랑이 사이로 손을 넣는 순간, 그는 움찔했다. 섬뜩한 느낌이 들었다. 얼른 손을 뺀 남자는 겁에 질린 표정으로 영선을 바라보더니 이내 달아나듯 가버렸다.

한참이나 걸려서 휠체어에 겨우 윤 씨 할아버지를 앉힌 영선은 겨우 택시를 잡아탔다. 택시기사가 자꾸 흘끔거렸다. 윤 씨 할아버지는 퍼렇게 경직된 얼굴로 고개를 함부로 뒤로 젖히고 있었다. 겁에 질린 택시기사는 엑셀과 브레이크를 잘못 밟아 파란 신호에서 차가 급출발을 해버리는 바람에 택시는 인도의 화단을 들이받고 멈추었다. 119 앰뷸런스가 도착했을 때 택시기사는 갈비뼈가 부러진 줄도 모르고 핸들에 머리를 숙이고는 부들부들 떨고 있었다.

“뒤에 시체가 있어요. 시체가.”

택시기사는 유령이라도 본 것처럼 더듬거리며 119 구급대원에게 말했다. 그러나 구급대원은 뒷자리에서 아무도 볼 수 없었다. 구급대원은 정신을 잃은 택시기사를 서둘러 구급차로 옮겼다.

영선은 휠체어를 버리고 윤 씨 할아버지를 들쳐 업고 버스 정류장으로 향했다. 때마침 버스가 도착했다.

"두 사람이요."

영선이 돈을 내고 버스 자리로 향했다. 그때 버스 기사가 실내 미러로 영선을 돌아봤다.

"이봐요 아가씨"

영선이 윤 씨 할아버지를 의자에 내려놓으며 돌아봤다.

"네?"
"육백 원 더 내야죠."

영선은 다시 천 원짜리 한 장을 더 넣었다. 버스 기사는 잔돈을 거슬러 주었다. 문 앞에 자리를 잡은 영선은 윤 씨 할아버지와 나란히 앉아 병원으로 향했다. 아무도 윤 씨 할아버지와 영선을 신경 쓰지 않았다.

영선이 윤 씨 할아버지를 짊고 지고 병원에 들어서자 접수처에서 이를 본 간호사들은 자지러질 듯 놀라 분주해졌다. 영선은 윤 씨 할아버지가 아프다며 의사 선생님을 만나야 한다고 말했지만 아무도 그 말에 귀 기울여주진 않았다.

움직이지 않는 윤 씨 할아버지는 병원 쪽의 장례시설에 따라 일사분란하게 움직여져 관에 뉘여 졌다. 이름도 사진도 없는 장례식장이었다. 영선만 식장 가운데에 멀뚱히 앉아 있었다. 지훈은 아직 도서관에 있을 시각이었고 영선은 이 상황을 정확하게 이해하지 못하고 있었다. 장례식장의 담당자라는 사람이 영선을 불러냈다.

"상주 성함이 어떻게 되시죠?"
"저는 이영선이고 제 친구는 구지훈이에요."
"그럼 상주가 구지훈씨. 영정사진 가져오셔야죠."

영선은 가만히 그를 바라봤다. 장례식장 담당자는 이런 상황이 좀 짜증나는 듯했다.

"보니까 올 사람도 없을 것 같네. 음식은 본인이 사는 걸로 하고 장례식장 이용비 3일치 하고 관과 수의, 차량비용만 계산을 할게요. 화장비용은 그쪽에서 따로 계산하세요."

"병원엔 몇 시간이면 충분해요. 지훈씨가 올 때까지만 있을게요."

장례식장 담당자는 손에 든 계산기를 두드리다 말고 고개를 들어 영선을 봤다.

"집에도 안 데려다 주셔도 돼요. 버스 타고 가면 돼요."

담당자는 허 소리를 내며 기가 찬 듯 웃었다.

"나 농담할 시간 없으니까 바로 진행할게요오."

담당자는 계산기를 신경질적으로 톡톡 두드렸다.

"524만원이네요. 이따가 이 영수증 들고 납수처에 오세요오."

"500만원이요?"

"524만원이요."

"저희 입원 같은 거 안 할거예요. 금방 나갈 거예

요."

"지금 나랑 장난하자는 거야?"

장례식장 담당자의 표정이 험악해져서 영선은 움찔했다. 하지만 이 남자가 왜 계속 3일을 있어야 한다는 둥 하는 바보 같은 소리를 해대는지 영선은 이해할 수가 없었다.

"아니요."

영선이 조금 움츠러들며 고개를 저으며 말했다.

"그럴만한 돈이 없어요. 그냥 나갈게요. 지훈씨 올 때까지만 잠깐만 기다리면 되요."

갑자기 쩍 소리와 함께 영선의 몸이 바닥에 넘어져 저만큼 밀려갔다.

"닥쳐 이 썅년아. 어디서 정신 나간 년이 들어와서 꼬박꼬박 지랄이야. 모르면 그냥 하라는 대로 하면 되잖아. 니가 무슨 말을 하든 그게 뭐가 중요해? 돈 내라면 그냥 내. 피곤하게 하지 말고."

담당자는 영수증을 바닥에 던지고는 침을 탁 뱉었다. 뒤돌아서 가면서도 궁시렁궁시렁 욕지거리를 계속 했다.

영선은 그대로 대자로 누워 눈을 끔뻑끔뻑했다. 왼쪽 뺨이 욱신거리며 부풀어 오르는 것이 느껴졌다. 아까 계산기를 두드리던 담당자의 두껍고 커다란 손이 떠올랐다. 다시 눈을 떠보니 지훈이 놀란 얼굴로 영선을 내려다보고 있었다. 영선은 그대로 뻗어서 잠든 모양이다.

“얼굴이 왜 이래?”

영선은 좀 전에 담당자가 와서 한 말을 그대로 지훈에게 전했다. 지훈은 고개를 끄덕끄덕 하더니 일단 장기병동부터 돌고 오자고 말했다.

영선과 지훈은 윤 씨 할아버지의 빈소를 떠나 본병동으로 들어갔다. 이젠 장기병동을 찾는 것쯤은 일도 아니었다. 영선이 병실에 들어서자 의식 없는 환자들이 새로운 공기에 놀라는 것이 느껴졌다. 다른 병원에 들어섰을 때는 못 느꼈던 것이다. 의식 없는 환자들은 아마도 영선이 몰고 온 죽음의 흔적을 느꼈을지도 모른다. 다섯 개의 공동 병실과 다섯 개의 개인 병실이 있었다. 개인 병실에 들어가는 것은 쉽지 않았다.

먼저 공동 병실부터 둘러보기로 했다. 첫 번째 공동 병실엔 네 개의 침대가 놓여 있었다. 인공호흡기를 부착한 네 명의 남자가 누워 있었다. 남자들의 얼굴을 차례로 봤지만 정수철의 모습은 없었다. 찬찬히 둘러보고 나서는데 복도를 걷던 피곤한 안색의 여자와 딱 마주쳤다. 40대 중반의 여자는 무표정한 얼굴로 영선을 바라봤다. 봤다기보다는 그냥 시선이 거기 닿았다는 표현이 더 정확할 것 같았다. 40대 중반의 강한 턱선을 가지고 있는 피곤한 안색의 마경숙은 마치 벽을 바라보듯 영선의 부어오른 얼굴을 봤고 아무 기척 없이 지나쳤다. 영선은 코너를 돌아 위치한 다음 방으로 들어갔다. 세 명의 여자와 한 명의 남자가 누워 있었다. 한 명의 남자는 의식이 있는 상태여서 영선을 보자 뭐라고 신음소리 같은 것을 냈다. 영선도 “안녕하세요”하고 인사해 주었다.

한 사람 한 사람 얼굴을 확인하는데 영선이 놀라 멈춰 섰다. 최형우 선생이 거기 누워 있었다.

최형우를 둘러메고 끙끙대고 병실을 나서던 영선은 지훈과 마주쳤다. 눈치 빠른 지훈은 얼른 달려가 어디선가 미는 침대를 끌고 왔다. 미는 침대에 최형우를 눕히고 이불을 머리끝까지 덮어 숨겼다. 그리고 엘리베이터에 올라탔다. 장기병동엔 드나드는 사람이 거의 없었고 복도를 다니는 사람도 없었으므로 어려운 일은 아니었다.

윤 씨 할아버지의 장례식장으로 돌아온 영선과 지훈은 윤 씨 할아버지를 미는 침대로 옮겨 최형우 옆에 뉘였다. 지훈이 앞에서 망을 보고 주위를 딴 곳으로 돌리는 사이 영선이 침대를 밀고 장례식장을 빠져나왔다. 영선은 버스를 타자고 했지만 두 사람이 시체 하나와 시체 같은 환자 하나를 지고 버스에 타는 것은 너무 눈에도 띄고 이상해 보일 거라고 지훈은 생각했다. 게다가 미는 침대를 버스에 올리는 것이 가장 큰 일이었다. 고개를 돌리자 병원 뒷문 길 건너편에 지하철역이 보였다.

엘리베이터를 이용해 지하 플랫폼까지 내려가는 일은 문제없었다. 플랫폼에서 지하철에 오르는 일도 아무런 문제가 없었다. 사람들은 가끔 의아한 듯 힐끔

거리긴 했지만, 누구 하나 물어보는 사람도 없었다. 지훈과 영선은 지하철로 집 근처까지 이동한 뒤 다시 천천히 미는 침대를 밀어 진달래 아파트에 도착했다. 쉽진 않았지만 불가능한 일은 아니었다. 지훈은 의도적으로 경찰서나 지구대 같은 곳이 없는 길을 택하긴 했지만 말이다.

진달래 아파트 501호에 들어서자마자 지훈은 문을 걸어 잠그고 주저앉듯 내려앉았다. 영선은 낑낑대며 윤씨 할아버지와 최형우를 바닥으로 내려놓았다. 진달래 아파트 501호엔 이미 딱딱하게 굳어가는 노인 시체 하나와 40대 초중반의 식물인간 남자, 히키코모리 남자와 좀 모자란 여자가 모여 앉아 있었다. 식구가 늘어간다는 것은 이런 것일까.

18.

2015년 5월 13일

도형사는 서울 용산 경찰서로부터 '최형우'가 사라졌다는 연락을 받고 부랴부랴 서울로 향했다. 분명 보호감찰을 요구했었는데 시체나 다름없는 최형우가 사라지다니 이건 무슨 일인가. 최형우는 의사 소견상으로도 분명 식물인간 상태였다. 그런 그가 제 발로 걸어서 병원을 나갔을 리는 없다.

도형사는 용산경찰서에 들러 보호감찰관들과 마경숙의 진술서를 확인했다. 지루함에 못이겨 잠시 담배를 피우고 온 사이 최형우가 사라졌다고 했다. 자리를 비운 것은 단 몇 분이라는 변명어린 문구도 섞여 있었다. 도형사는 바로 보광동으로 향했다. 마경숙은 된장찌개를 끓이려는 듯 호박을 썰고 있었다. "오셨어요?"라고 말하는 그녀의 표정은 도형사로 하여금 퇴근해서 돌아왔다는 착각을 불러 일으킬 정도로 자연스러웠다.

"몸은 좀 어떠세요?"

도형사는 허리를 굽히는 듯 마는 듯 어색하게 인사를 했다. 마경숙은 아랑곳하지 않고 된장찌개의 간을 봤다. 그녀의 그런 천연덕스러움은 경이롭기까지했다.

"저녁 드셨어요?" 마경숙이 물었다.
"아, 아니요. 괜찮습니다." 도형사는 손을 내저었다.
"하필 저녁 시간에 오셨어요."

"네?"

도형사는 난감해졌다. 저녁 시간에 맞춰 오려던 것은 아니었다. 삼척에서 출발해서 오다보니 이렇게 되어버린 것이다. 그걸 구구절절 마경숙에게 설명할 이유는 또 없지 않은가. 이런 생각을 하다보니 점점 짜증이 치밀어 올랐다.

"잠깐이면 됩니다."
"정황은 이미 경찰서에서 다 말했어요. 그쪽에서 확인하세요."
"확인하고 오는 길입니다. 경찰에 말하지 않은 것을 알고 싶어서 왔습니다."
"최형우가 어디 있냐고요?"
"네."
"그걸 내가 어떻게 알아요? 경찰이 두 명이나 앞에서 지킨답시고 있으면서 움직이지도 못하는 사람이 감쪽같이 사라지다니. 이게 말이 돼요?"

마경숙은 흥분해서 숟가락으로 끓고 있는 된장찌개 뚝배기를 탁탁 내리쳤다.

"분명히 경찰 쪽의 실수입니다. 하지만 혹시 마경숙 씨가 알고 있는 다른 사실들이 있나 해서 찾아와 봤습니다."

"그게 무슨 소리예요?"

"그러니까…"

"내가 형우를 빼돌리기라도 했다는 거예요?"

"아니요. 꼭 그런 뜻은 아닙니다."

마경숙은 부글거리는 된장찌개 뚝배기에 숟가락을 담근 채 도형사 얼굴을 빤히 바라보았다. 도형사는 화장실에라도 가고 싶은 기분이었다.

"누가 데려갔는지는 알아요. 내가 그 년 얼굴을 봤거든요. 누구한테 맞았는지 한쪽 얼굴이 퉁퉁 부어 있었어요. 키도 요만한 어린년이었는데 장기 병동에서는 못 보던 사람이었어요. 난 새로 누군가 입원했나 했죠. 하지만 그 년이 틀림없어요."

"나이가 어느 정도 되 보이던가요?"

"기껏해야 열여덟…?"

도형사는 도계중학교 학생 기록부에서 복사한 이영선의 사진을 마경숙에게 내밀었다.

"이 사람입니까?"
"쌰년 맞네"
"전에 본 적 있습니까?"
"아니요. 최형우와 이 여자애는 어떤 관계에요? 잤어요?"

마경숙의 목소리에서 강한 질투가 배여 나왔다. 도형사는 마경숙이 식물인간이 된 최형우에게도 이토록 강한 질투를 느끼고 있다는 것이 놀라웠다.

"아직은 밝혀진 바가 없습니다."

마경숙의 눈썹이 위로 치켜 올라가며 얼굴이 한껏 일그러졌다. 사진 속의 이영선과 최형우의 어떤 관계를 상상하는 것 같았다. 도형사는 사진을 얼른 집어넣었다. 사실 도형사도 이영선과 최형우가 성적인 접촉이 있었는지 아닌지 확신할 수 없었다.

마경숙은 거친 소리를 내며 상을 차렸다. 그리곤 방으로 들고 가 철퍼덕 소리를 내며 앉았다. 도형사는 그런 마경숙의 뒷모습을 물끄러미 지켜봤다.

“그 여자애는 누구예요? 도대체 왜 우리 형우를 데려간 거예요?“
“최형우가 도계중학교에 선생님으로 재직할 당시 가르쳤던 학생이에요.”
“그럼 잤겠네요.”

마경숙이 입속에 든 음식물과 함께 씹어 삼키며 말했다.

“이영선 외에 다른 사람은 보지 못했습니까?”
“못 봤어요.”
“경찰에 이영선을 봤다고 왜 말하지 않았습니까?”

마경숙은 여전히 도형사에게 등을 돌린 채 말했다.

“나 우리 형우가 그렇게 된 이후로 밥 한 끼 제대로 먹은 적이 없어요. 내가 어떻게든 형우를 제대로 돌려놔야겠다 싶어서, 형우 몸을 안마했어요. 혹시 모르잖아요. 그렇게 해서 정신이 돌아오는 사람도 있데요. 낮에는 일하고 잠도 제대로 안 잤어요. 어차피 죽으면 매일 잘 거 몇 시간 몇 분 더 자면 뭐하냐는 생각에. 내가 어떻게든 살려 놓으리라 마음먹었어요. 내가 살려내서 시험도 보게 만들고 이번에는 제대로 살아보자고. 그런데 그 년이 갑자기 나타나서 형우를 데려가 버렸어요. 그 년이 내 인생을 훔쳐가버렸다구요."

마경숙은 잠시 숨을 골랐다.

"내가 그렇게 버텼던 일을, 건장한 경찰 둘이 움직이지도 못하는 사람 하나 못 지켜서 도둑맞았다는 게 말이 돼요? 당신들을 믿느니 내가 하지."

도형사는 이 말도 안 되는 상황을 견디는 마경숙의 집착이 안쓰러웠다.

"내가, 내 손으로 그 년을 찾아낼 거예요. 그 년을 죽이고 형우를 내 옆으로 돌아오게 할 거예요."

마경숙은 한껏 속도를 높여 밥을 먹고 된장찌개를 입속으로 쓸어 넣었다. 도형사는 말없이 돌아서 나왔다.

이영선이 드디어 모습을 드러냈다. 도형사는 왠지

가슴이 뛰었다. 이영선이 서울에 있다면, 사라진 정수철도 서울에 있을 것이란 생각이 들었다. 최형우가 식물인간이 된 사실은 아무도 몰랐다. 이영선이 그것을 알고 최형우를 찾았을 리는 없다. 그렇다면 이영선은 아픈 정수철을 찾던 와중 최형우가 의도치 않게 걸린 것일 가능성이 더 높았다. 이영선은 정수철을 찾고 있는 것이 확실했다.

도형사는 용산서에 전화를 걸어 서울에 있는 장기병동이 있는 병원의 연락처를 모두 뽑아 '정수철'이라는 인물이 입원해 있는지 확인해 달라고 말했다. 평소 같으면 텃새라도 부렸을테지만 이번엔 순순히 따라주었다.

도형사는 오랜만에 방화동 본가로 향했다. 서울에서 며칠 머무를 요량이었다. 오늘밤은 푹 쉬고 내일은 정수철이 있는 병원으로 가서 이영선을 기다릴 것이다. 이영선을 찾아 사건 현장에서 발견된 교복에서 채취한 DNA와 일치하는지만 확인한다면 이 사건은 종료될 것이다.

19.

도형사가 방화동 본가에 들어서자 온 가족이 달려 나왔다. 너무 오랜만에 온 것이라 어머니는 눈물을 글썽거릴 지경이었다. 성산동에 살고 있다는 시집간 여동생 식구들까지 몰려왔기 때문에 집안은 복닥복닥 했다. 도형사가 삼척에서 지낸 8년 동안 한 번도 경험해 보지 못한 분위기였다. 어머니는 도형사가 있는 삼척에 와보길 원했지만 도형사가 거절했었다. 원래 집안 분위기가 이러했던가. 도형사는 조금 어색해하며 신발을 벗고 들어섰다. 거실엔 상다리가 부러질 정도로 음식이 차려져 있었다. 정말 오랜만에 많은 사람들과 밥을 먹으니 정신이 없었다. 여동생은 끊임없이 어떻게 지내냐고 몇 번이나 물었다.

"여자는 있어? 청순한 삼척 처녀라도 만난거야?"

도형사는 말없이 갈빗대를 뜯었다. 여동생은 나이에 상관없이 좀 아줌마스러운 면이 있었다. 그 점은 변함이 없었다. 몰라보게 큰 조카들은 도형사를 어색해하며 할아버지 할머니에게만 달려들었다. 여동생은 그것이 미안했던지 조카들을 억지로 도형사에게 밀었다.

"삼촌한테 가서 인사하면 용돈 주실 거야."

조카들은 미적대며 더더욱 할머니의 무릎사이로 파고들었고 그것을 본 여동생은 그런 조카를 떼어내려 하고 있었다. 도형사도 역시 어색한 조카들을 어색하게 안고 싶은 마음은 더더욱 없었다. 용돈은 줄 수 있지만 어색하게 안긴 대가로 용돈을 주긴 싫었다.

"됐어. 그만해. 먼저 밥부터 먹고"

도형사가 여동생에게 말하자 여동생은 서운한 기색으로 입을 좀 삐죽거렸다.

"그런데 갑자기 서울엔 웬일이야? 무슨 사건이라도 터진 거야?"

"어 일 때문에."

"왜? 무슨 사건인데? 요즘 티비 보니까 너무 끔찍한 사건이 많더라. 부모가 자식을 죽이질 않나 애인을 때리고 죽여서 갖다 버리질 않나. 삼척은 시골이라 그런 끔찍한 사건이 없을 것 같은데 거기도 그런 거야?"

"삼척은 사람 사는 데 아니냐? 다 똑같지."

"그럼 오빠도 그런 미친놈들 잡으러 온 거야?"

여동생에게 자세한 이야기를 하고 싶지 않았다. 게다가 어리고 어색한 조카들 앞에서는 더더욱.

"어 뭐… 일 때문에 왔어."

"뭔데? 얘기 좀 해줘. 조카들한테 삼촌 하는 일 자랑 좀 해 봐. 어쩜 조카들한테 그렇게 무심할 수가 있냐? 내 자식이면 오빠 자식이기도 하잖아. 좀 안부도 물어봐주고 장난감도 챙겨주고 놀아도 주고 그래야 하는 거 아냐?"

도형사는 여동생의 말을 못 들은 척 수저를 들었다.

"나는 아버지 사업도 다 챙기잖아. 이젠 아버지 어머니도 연세 드셨어. 우리가 좀 챙겨드려야 해."

여동생이 눈치 없는 잔소리가 말없이 반가움을 표현하시던 아버지와 어머니까지 실어 나르자 아버지는 오랜만에 왔는데 밥 좀 먹게 하라고 한 소리했다. 여동생은 또 입을 삐죽거렸다. 저녁을 먹자마자 여동생은 맘이 상했는지 먼저 가겠다고 조카들을 앞세워 일어섰다. 아버지가 오래 하시던 사우나를 그대로 물려받은 여동생 부부는 요즘 리모델링 공사를 하느라 정신이 없다고 한다. 그래서 남편 없이 자기 혼자 온 거라고 여동생은 생색내듯 말했다. 하지만 여동생은 조카들을 맡기러 자주 오는 모양새였다. 도형사는 그런 여동생이 얌체 같다고 생각했다. 도형사는 굳이 잡지 않았다. 여동생과 도형사는 원래부터 뭔가 맞지 않는 사람들이었다. 그걸 이제 와서 굳이 바로 잡아 다정한 오누이로 살아가고 싶은 마음은 없었다.

여동생 식구들이 돌아가자 집안은 조용해졌다. 어머니와 아버지도 그렇게 말수가 많은 사람들이 아니었으므로 도형사와 셋이 남겨지자 갑자기 침묵이 몰려들었다. 아버지는 끄응 하고 손을 뻗어 리모컨을 집으시더니 티비를 켜셨다.

"아버지 사우나 그만둔 거 후회하지 않으세요?"

아버지는 티비에 여전히 시선을 둔 채로 "으응?"하실 뿐 별말이 없다.

"건강은 어떠세요?"
"응"

아버지는 대답 대신 리모컨을 도형사 쪽으로 넘겨주었다. 티비를 마지막으로 본 게 언제였더라 가물가물했다. 도형사는 소파에 느긋하게 몸을 뉘여 리모컨만 까딱까딱했다. 이러니 정말 집에 온 것 같은 기분이 들어 기분이 노곤해졌다. 티비에서 뉴스가 흘러나왔다. 도형사는 어머니가 내온 과일을 집어 와작와작 씹으며 건성으로 봤다.

"이탈리아의 로베르토 피살디 박사가 뇌이식 수술을 위해 중국을 방문하고 있습니다. 로베르토 피살디 박사는 원숭이에 이어 인간의 뇌를 이식하겠다는 수술 계획을 발표한 뒤로 국내외 의학계의 비난을 받고 있습니다만 본인은 이에 상관없이 인간의 머리 이식 수술을 진행하겠다고 밝힌 바 있습니다. 뇌이식 수술 비용을 감당하기 위해 전 세계적으로 모금운동을 펼쳤고, 이에 한국의 자선 단체에서 지원하겠다는 의사를 밝혀왔다고 감사의 뜻을 전한 바 있습니다. 이미 몇 차례 중국을 방문한 적 있는 로베르토 피살디 박사는 신원을 밝힐 수는 없지만, 수술 지원자와 확보된 상태이며 이번 중국 방문에서 뇌이식 수술을 성공할 것임을 확신한다고 밝혔습니다. 하지만 정확한 수술 일정과 계획, 지원자의 상태를 밝히지 않아 수술의 여부는 불투명한 상태입니다."

뉴스 화면에 나온 낯선 외국인의 사진을 무심하게 보던 도형사는 채널을 돌리려 손가락을 움직이려 했지만, 그간 수사에 신경을 쓴 탓인지 손가락 하나 까딱할 수 없는 피곤이 밀려왔다. 밀려오는 졸음 속에서 최형우의 지하방에서 본 접목된 이상한 모양의 선인장이 떠올랐다. 인간의 머리를 이식한다면 꼭 그런 모양일 것 같았다. 뉴스 아나운서의 목소리와 과일의 맛이 진득하게 달라붙었지만 이길 수 없는 졸음에 빠졌다.

'작은 별 병원'

도형사는 개포동 주공아파트 단지 앞에 있는 병원 앞에 서서 잘 눈에 띄지 않는 위치에 있는 병원 간판을 올려다봤다. 용산서에서는 환자 이름으로 알아보는 것은 불가능하다고 했다. 혹시나 싶어 '작은 별 병원'으로 병원 이름을 검색하자, 이곳이 나왔다. 재개발 아파트 단지 앞에 있는 영업을 하는 건가 싶을 정도의 작은 병원이었다. 건물은 아주 낡고 입구도 찾기 힘들었지만 간판은 새것처럼 깨끗했다.

도형사는 상가 입구로 들어가 낡은 계단을 올라갔다. 작은 별 병원의 출입문은 보이지 않았다. 미로처럼 되어 있는 상가 복도엔 작은 별 병원의 표시조차 보이지 않았다. 몇 바퀴나 같은 길을 맴돌던 도형사는 복도 창문에 머리를 내밀고 작은 별 병원의 간판을 확인했다. 오른쪽이다. 다시 상가로 들어가 간판이 있는 쪽을 향해 걸었다. 반대편 복도에 이르렀다. 다시 복도 창문에 머리를 빼고 '작은 별 병원' 간판을 본다. 왼편이다. 다시 왔던 길을 걷는다. 반찬가게, 세탁소, 백반집, 치과, 피부과, 이비인후과 등이 있었지만, 그 사이 어디에서 '작은 별 병원'은 보이지 않았다. 다시 처음에 왔던 길에 이르러서 도형사는 미로에 갇힌 듯 멍해졌다.

그때 세탁소 옆으로 위층으로 올라가는 계단이 눈에 들어왔다. 이런 곳에 계단이 있을까 싶은 그런 계단이다. 도형사는 그 계단을 올라갔다. 잘 사용하지 않는 계단인 듯 안 그래도 좁은 계단의 한편으로 짐들이 쌓여져 있었다. 얼핏 보면 그냥 짐을 두는 곳 같아 보여 눈에 띄지 않았나보다 생각하며 도형사는 계단을 올랐다. 계단 끝엔 가정집인 듯 보이는 철제문이 나타났다. 철제문틈 사이로 안을 들여다보려 애썼다. 철제문 안으로는 깨끗해 보이는 타일이 깔린 복도가 있고 그 복도 끝에 다시 문이 있었다. 문 앞에 '작은 별'병원'이라는 건물 밖에 걸린 것과 같은 간판이 보였다.

"띵동"

잠시 기다렸지만 아무도 나오지 않았다. 다시 한 번 누르고 도형사는 묵묵히 기다렸다. 그때 누군가 안에서 난감한 표정으로 나왔다.

"누구세요?"
"여기가 작은 별 병원입니까?"

간호사 옷은 입지 않았지만 여자가 입은 카디건은 왠지 간호사 느낌이 풍겼다. 간호사 느낌의 여자는 시선을 떨구더니 이내 대답했다.

"병원 찾으세요?"
"네 감기 기운이 있는 것 같아서요. 여기 진료 안 합니까?"
"그럼 아래층에 이비인후과에 가보세요. 거기서 내

과 진료도 해요.”

“그래도 감기는 내과 전문 병원에서 진료하는 게 좋죠. 여긴 무슨 괍니까?”

“그게... 저흰 지금 준비 단계라 진료 안 해요.”

“밖에 간판이 있던데요.”

“그건 그냥 미리 내단 거예요. 아직 선생님도 안 계시고 개업 안 했으니 다른 곳을 찾아보세요.”

간호사 느낌의 여자는 서둘러 들어가려 하고 있었다. 도형사의 눈에 철문 안쪽에 쌓인 택배 박스들이 들어왔다. 도형사는 어떤 물건인지 글씨를 읽으려고 애썼다. ‘환용영양식 전문 쇼핑몰 승자네’ 중간에 종이가 접혀 ‘자’글씨가 빠져 있었다. ‘환자용 영양식 전문 쇼핑몰 승자네’ 도형사는 이곳에 ‘정수철’이 있음을 확신했다.

“여기 출입문이 여기 하납니까? 아까 택배 하시는 분이 커다란 박스를 들고 출입문을 찾아서 헤매고 계시던데, 이 문으로 알려드릴 걸 그랬네요.”

“어머. 그래요? 건물 뒤편으로 돌아오시라고 분명히 말씀드렸는데 참 못 알아들으시네. 어쨌든 감사합니다.”

간호사 느낌의 여자는 카디건을 여미며 서둘러 들어가 버렸다. 계단을 내려오며 도형사는 세탁소 쪽을 비추고 있는 CCTV를 확인했다. 음료수를 사들고 상가 관리 사무실에 들러 상가 수익이 어쩌고저쩌고 하는 얘기를 하며 CCTV가 작동되고 있는지도 확인해 두었다. 일단은 형사 신분을 숨기는 것이 낫겠다 싶어 수사 협조는 말도 꺼내지 않았다.

도형사는 건물 뒤편으로 돌아 '작은 별 병원'으로 가는 다른 출입구를 발견했다. 이 출입구는 아파트 단지와 연결되어 있었는데 그 아파트 단지는 현재 재개발 사업으로 비어 있는 상태였다. 도형사는 눈에 띄지 않는 벤치에 자리를 잡고 앉았다. 건물 뒤편은 앞쪽보다 한 층이 높은 상태였으므로 '작은 별 병원'의 창문으로 누가 어른어른하는 모습 정도는 훨씬 가깝게 보였다. 아까 그 간호사 느낌의 여자가 창문 안쪽에 어른거리는 것 같았다.

늦은 오후가 되자 간호사 느낌의 여자는 퇴근을 했다. 그 여자의 퇴근 말고는 아무런 인기척도 드나드는 사람도 없었다. 종일 기다리는 일이 너무 무료하고 혼자 잠복하는 일에 지치고 있었다. 삼척서는 형사가 한 명 밖에 없어 도형사 자신이 모든 걸 감당할 수밖에 없지만 이때 김순경이 옆에 있었다면 조잘조잘 이야기라도 나눴을 거란 생각이 들었다. 김순경은 아마도 신주리와의 연애 얘길 늘어놓았겠지. 도형사는 다음에 만나 김순경의 연애 얘길 들으면 타박하지 말고 잘 들어주어야겠다는 생각이 들었다.

상가 김밥 집에서 김밥을 사들고 벤치로 돌아오는데 상가 앞에 택시가 한 대 섰다. 아주 이국적인 외국인과 60대의 한국인 남자가 내렸다. 외국인이 여기에 웬일이람 하며 지나치다가 다시 돌아봤다. 어제 뉴스에서 보았던 로베르토 피살디라는 사람이었다. 뉴스에서는 분명 중국을 방문 중이라 했는데 그가 왜 여기 있는 것일까? 의아한 도형사는 걸음을 돌려 식당으로 들어갔다. 로베르토와 60대 한국 남자를 먼저 보내기 위해서다.

로베르토 일행은 상가로 들어가지 않고 건물 뒤편으로 돌아갔다. 도형사가 잠복해 있는 출입구를 이용하는 것이다. 간호사 느낌의 여자가 퇴근한 이후로 꺼져있던 실내에 불이 켜졌다. 순간 도형사의 머릿속에서 반짝 전구가 들어온 것 같았다. '로베르토 피살디'라는 남자가 하려는 뇌 이식 수술과 '정수철'이 엮여 있구나! 신원을 밝힐 수 없는 지원자가 바로 정수철이었어. 저 60대 남자는 아마도 '작은 별 병원' 원장일 것이다. 이 '작은 별 병원'이 도계의 '작은 별 병원'과 같은 것이고, 이 수술 계획은 이미 오랫동안 진행되어 왔을 것이라는 생각에 이르자 도형사는 온몸의 털이 바짝 서는 느낌이었다.

정수철이 사고를 당한 뒤 적당한 치료도 받지 않고 그대로 집안에 숨긴 점, 그리고 그 뒤로 정수철의 존재가 완전히 세상에서 사라진 점이 이해가 됐다. 정수철과 정수철의 부모는 이 수술을 준비하고 기다려왔던 것이다. 작은 별 병원 원장과 정수철의 부모는 뇌사상태에 빠진 정수철을 치료할 수 있는 방법으로 아직 검증되지도 않은 -8년 전이라면 '로베르토 피살디'가 원숭이 실험도 하고 있지 않을 때였다- 머리 이식 수술을 추천하고 선택했던 것이다. 로베르토 피살디가 원숭이 셀바의 이식 수술을 성공할 때까지 정씨 부부는 정수철을 숨겨서 생명을 유지시켜왔던 것이다. 정수철이 첫 번째 실험 대상이라는 것을 정수철의 부모인 정씨 부부는 알았을까?

도형사는 정씨 부부의 통장 내역이 떠올랐다. 매달 빠져나가던 정수철의 거액의 보험료. 이미 만기된 그 보험금은 어떻게 되었지? 왠지 불길한 느낌이 들었다. 도형사는 김순경에게 전화를 해서 보험회사의 전화를 걸게 했다. 늦은 시각이긴 했지만 꼭 확인을 해야 한다고 김순경에게 당부를 했다. 도형사는 로베르토 피살디와 60대 남자가 들어간 뒤 조용한 작은 별병원 안을 초조하게 살피고 있었다. 당장 무슨 일이 일어나는 것은 아니겠지. 창문으로 개미 한 마리 얼씬하지 않는다. 도형사는 자꾸만 손톱을 물어뜯었다.

'우우우웅'

휴대폰 진동에 놀라 뒤로 자빠질 뻔했다. 통화 버튼을 누르자마자 다급한 김순경의 목소리가 들려왔다.

"도형사님, 정수철 앞으로 된 보험금이 전부 빠져나갔습니다."

"어디로? 어디로 빠져나갔는지도 확인했어?"

"네. 2015년 3월 15일에 만기된 보험금은 4월 30일에 마경숙에게 송금되었습니다. 그중 10분의 1 정도는 '박교익'이라는 사람에게로 송금되었고 나머지는 그대로 있습니다."

도형사는 머릿속이 엉망이 된 것 같았다. 무엇부터 먼저 하는 것이 좋을지 알 수 없었다. 마경숙도 이 일과 연관이 있는 것인가? 아니다. 최형우가 마경숙의 계좌를 이용했을 수도 있다는 생각이 들었다. 마경숙은 그렇게 머리를 굴릴 사람은 아니다. 그러면 바로 작은 별 병원을 덮쳐야 하나, 아니면 서초서나 강남서를 가서 지원요청을 하고 '박교익'이라는 사람을 추적하는 것이 먼저인가. 만약 지원요청을 하러 간다면, 그 사이 정수철에게 무슨 일이 일어날지도 모른다는 생각이 들어 자리를 떠날 수 없었다. 도형사는 다시 김순경에게 전화를 했다. 김순경은 마치 기다리고 있었다는 듯 전화기 속에서 튀어 올랐다.

"네 도형사님 말씀하십시오."

"김순경, 내가 지금 정수철이 있다고 생각되는 곳에서 잠복중인데 삼척서에서 서초서에 지원요청을 좀 해줘. 그리고 그 '박교익'이라는 사람 신원 파악도 부탁하고."

"네 알겠습니다. 박교익이라는 사람은 제가 신원조회를 해서 최종 주소지 관할서로 다시 조회를 요청했습니다."

도형사는 다소 어안이 벙벙해서 전화를 끊었다. 초짜 김순경이 도형사보다 똑부러지게 처리한 것 같아 듬직하면서도 왠지 머쓱해졌다. 이내 도형사의 전화벨이 울렸다.

"강남서 강력5팀 손 경삽니다. 삼척서로부터 지원 요청 받고 연락드립니다. 저희가 현재 성매매 업소 소탕작전중인데 한 시간 정도 걸릴 것 같습니다. 한 시간 대기 괜찮으십니까?"

"당장 가능한 팀 없습니까? 지금 실종자로 추정되는 인물이 갇혀 있고 위험한 상황이 일어날 수 있습니다."

"죄송합니다. 현재 강남서에 지원 가능한 팀이 없습니다. 최대한 빨리 가겠습니다."

전화를 끊은 도형사는 마음이 초조해졌다. 혹시 지금 안쪽에선 정수철의 머리를 자르고 다른 사람의 머리에 붙이는 그런 말도 안 되는 끔찍한 수술을 하는 장면이 자꾸 눈앞에 아른거렸다. 그래 들어가 보자. 도형사는 출입구로 천천히 다가갔다. 그때 택배 트럭이 요란한 음악소리를 내며 멈추었다. 그리곤 택배 기사가 짐을 내리기 시작했다. 택배기사는 음악소리를 울리는 차 문을 열어둔 채로 택배를 들고 '작은 별 병원' 출입구로 걸어가고 있었다. 도형사는 달려가 택배 기사를 잡았다.

'띵동'

잠시 후에 안쪽에서 경계하는 목소리가 들렸다.

"누구십니까?"
"택배요"
"두고 가세요"
"중요한 물품이라 사인 받아야 해요."

안쪽에서 잠시의 침묵 후 문이 철컥 열렸다. 택배 박스를 어깨에 멘 도형사는 현관 안쪽으로 들어섰다. 기세에 밀려 60대 한국인 남자는 뒤로 주춤 물러났다.

"여기 사인 해주세요"

인수 목록을 60대 남자에게 건네며 도형사는 안쪽을 둘러봤다. 공간이 나누어져 있어서 안쪽은 보이지 않았다. 정수철과 로베르토의 모습도 보이지 않았고 침대나 병원으로 보이는 어떤 것도 보이지 않았다. 매우 조용해서 수술이나 그런 것이 진행되고 있다고 보이진 않았다. 수술이 진행되고 있다면 60대 남자가 문을 열지 않았을지도 모르겠단 생각이 이제야 들었다. 60대 남자는 계속 안쪽을 두리번거리는 도형사를 기분 나쁜 듯 쳐다봤다.

"뭐 찾으시는 거라도 있습니까?"
"아니요. 사인 다 하셨습니까?"
"안녕히가세요"

60대 남자는 도형사가 나가길 기다리고 서 있었다.

"그런데 여기 뭐하는 뎁니까? 앞쪽에 병원 간판을 봤는데요. 여기가 병원입니까?"

60대 남자는 택배 남자의 오지랖에 짜증이 치밀어 올랐다.

“그게 무슨 상관입니까. 볼 일 보셨으면 가세요.”
“사실은 제가 택배를 돌리느라 병원 갈 시간도 없거든요. 소화가 안 되고 계속 토하고 머리도 아프고 그런데 잠깐 봐주시면 안 되겠습니까? 제가 아침 7시부터 밤 11시까지 일해서 당최 시간이 안 나서 그러는데요.”

60대 남자는 황당하다는 듯 도형사를 바라보다가 밀어내기 시작했다.

“병원 간판을 봤거든요. 잠깐만 진찰 좀 해주시면 안 됩니까? 너무 아파서 그래요.”

도형사는 버팅 기며 떼를 썼다.

“아니 도대체 이게 무슨 짓입니까? 빨리 가세요. 여긴 병원 아닙니다.”
“앞에 병원 간판 불이 켜져 있던데요. 야간 진료 보시는 거면 그냥 잠깐 봐주세요. 진찰 한번 하는 거 오래 안 걸리잖아요.”
“병원이 아니라니까요.”

도형사는 매달리며 안쪽을 계속 살폈다. 그때 안쪽에서 로베르토 피살디가 외투를 입으며 나왔다. 로베르토와 60대 남자는 영어로 무슨 대화를 조곤조곤 낮게 나누더니 로베르토는 나가버렸다. 이내 60대 남자도 가방과 외투를 챙기더니 나갔다. 도형사도 따라 나왔다. 60대 남자는 문을 잠그고 멀거니 서 있는 도형사를 무시하며 로베르토와 함께 택시를 타곤 사라졌다. 도형사는 그제야 숨을 크게 내쉬며 고등학교 다닐 때 영어수업 시간에 졸았던 것을 후회했다.

20.

'박교익'

뇌의학 전공의. 정형외과 복수전공.
한국 동식물 교배접 위원회 위원장.
'뇌의 죽음과 육체의 죽음', '사후의 세계를 보고 돌아온 사람들' 등의 저서 집필.

강남서에 앉아 신원조회 결과를 기다리면서 도형사는 인터넷으로 '박교익'을 검색했다. 그는 블로그도 운영하고 있었는데 전국 각지를 여행 다닌 여행 글이

대부분이었다. 블로그 글 속에서 '박교익'은 사람 좋고 자연과 인간에 대한 애정이 담뿍 담긴 따뜻한 인간의 모습이었다. 몇 개의 블로그 글을 빠르게 읽어 내리던 도형사의 눈이 멈추었다. 그는 한 때 강원도 도계에 잠시 머물렀던 적이 있다는 내용의 글이었다. '박교익'의 사진은 없어서 그의 얼굴을 확인할 순 없었지만 도형사는 자신의 추측이 맞을 거란 확신이 들었다. 도형사는 박교익의 블로그 방문자들의 블로그를 차례로 들어가 봤다. 박교익의 블로그 이웃 중에 '불가사의'라는 닉네임의 블로그를 열었다.

'불가사의' 블로그 첫 화면에는 '한국 교배접 위원회'의 실험을 후원하는 문구와 함께 후원금을 모집한다는 내용이 팝업창으로 떴다. 이어 도형사는 계시된 글들을 하나 하나 클릭해 나갔다. 글의 내용들은 모두 일종의 동물 접붙이기의 각종 사례들의 사진과 설명들이었다. 개의 꼬리에 돼지꼬리를 이식한 사진을 넘기자 여러 실험군들의 모습이 나타났다. 도마뱀 상체와 돼지 하체를 이식한 사진에서 도형사는 상상하지도 못했던 모습에 저도 모르게 인상을 찌푸렸다.

원숭이의 손에 사람의 머리카락을 이식한 모습.

원숭이의 손가락 중 하나에 사람 손가락을 이식한

모습.

머리가 두 개 달린 원숭이의 모습.

개의 머리 위에 닭의 머리가 있는 모습.

영화 속 장면인 '프랑켄슈타인'의 모습과 실제 프랑켄슈타인과 흡사한 시체의 사진.

병상에 누운 상태로 의식없는 남자의 사진. 남자는 50대를 훌쩍 넘어 보였다. 머리 아래로 드러난 목이 앙상하게 주름져 있었다. 식물인간 상태로 보이는 남자는 좀 지저분해 보였고 방치되어 있는 느낌이 들었다.

다음은 침대에 누운 젊은 청년의 넋이 빠진 얼굴 사진이었다. 의식이 없는 것이 분명해 보이는 청년의 사진이 도형사의 시선을 잡았다. 청년의 시선은 알 수 없는 방향을 향해 있고 턱은 조금 뒤틀려 있었다. 청년의 뒤에 보이는 배경에 버섯 그림이 그려져 있었다. 그 풍경이 어딘가 낯이 익었다. 스크롤을 내리다가 아차 싶었다.

그 그림을 본 적이 있다. 외돌바위 계곡, 정수철이 숨어 지내던 그 집에서. 그렇다면 이 청년이 정수철인가. 학적부의 사진과 많이 다르긴 하지만 분명 정수철이었다.

그리고 로베르토와 박교익이 어떤 만찬장 같은 곳에서 나란히 앉아 환하게 웃는 사진에서 도형사는 스크롤을 멈추었다. 계시된 날짜를 보니 4월 19일이다.

그때 강남서 오형사가 다가왔다. 밤을 샌 오형사 역시 노곤해보였다.

"박교익 이 사람 전과도 없고 깨끗한데요. 두 달 전에 개포동에 병원 개업 신청을 한 것 말고는 별다른 게 없는데요."
"그 때 보험금이 들어 왔잖아요."
"거액까지는 아니고 천오백만원 정도인데요. 매달 그 정도의 돈은 일상적으로 입출금 되었던 것으로 확인됐습니다. 이 분이 무슨 협회 위원장을 맡고 계신 것으로 확인이 되던데... 그게..."
"한국 동식물 교배접 위원회 위원장이요."
"네. 그거요. 위원회 돈이 이 분 계좌를 통해 거래되는 것 같더라고요. 그래서 통장 거래 내역을 고려해 볼 때 천오백만원 정도의 입금은 딱히 주목할 만한 일이 아닙니다."
"4월 말경에 천오백만원 입금한 사람은 최형우 맞습니까?"

"네. 맞습니다."

도형사는 터져 나오는 하품을 막지 못하는 오형사의 손에 쥔 박교익의 병원개업 등록서류를 낚아채듯 뺏었다. 서류 속의 박교익의 사진은 어제 본 60대 한국인 남자와 일치했다.

"이 사람 맞네. 내가 어제 본 사람. 이 사람이 도계에서 병원을 하면서 그때 만난 코마 상태의 환자를 실험용으로 빼돌리고 있다고요. 박교익의 통장으로 입금된 돈은 이 실험에 쓰일 돈의 일부 일 거예요. 앞으로 1억 팔천 오백만원이 더 입금될 겁니다. 그리고 그 돈은 로베르토 피살디라는 사람에게 건네질거고요."

"로베 .. 뭐요?"

"로베르토 피살디요. 4월 19일에 그는 한국을 방문했어요. '세계 뇌의학 포럼'이라는 학회에 참석하기 위해서라는 것이 명목이었지만 그 학회에 로베르토 피살디는 초청자 명단에 없을 겁니다. 그는 공식적으로 한국을 방문한 적이 없으니까요."

"확인하습니까?"

"뉴스에 나왔어요. 그 뉴스를 봤습니다. 중국을 방

문한다는 뉴스가 왜 한국에서 나옵니까? 의학계과 과학계에서 욕을 먹을 것을 알면서도 굳이 뉴스를 띄운 이유가 뭘까. 그건 자신의 행적을 숨기기 위해서죠."

"그가 굳이 자신의 행적을 그토록 숨길 이유는요?"

도형사는 잠시 입을 다물었다. 도형사의 걱정이 사실일 수도 있겠다는 생각이 스쳐지나갔다.

"'박교익'이 참석자 명단에 있었습니다. 어제 제가 개포동 병원에서 본 것도 박교익이 확실하고 그와 함께 로베르토 피살디도 있었습니다. 어제 뉴스에서는 분명 '로베르토 피살디'가 중국을 방문한다고 했는데 그는 지금 한국에 있습니다. 4월 20일은 로베르토의 수술 대상으로 간주되는 정수철의 부모가 살해당한 날이고 정수철이 사라진 것도 그 즈음으로 추정되고 있습니다. 3월 15일 수령인인 정수철로 되어있는 거액의 보험은 만기되었고 그와 동시에 피해자 정씨 부부가 최형우라는 사람에게 8년간 매달 송금하던 돈도 송금을 중단했습니다. 정확하진 않지만 저는 그 시점이 정수철이 사라진 시점과 일치할 거란 생각이 듭니다. 4월 30일 보험료는 최형우의 애인 마경숙의 통장으로 송금되었고 그 중 일부인 천오백만원이 박교익의 통장으로 보내졌습니다. 그러니까 이 천오백만원은 '박교익'이 통상적으로 주고받던 돈의 일부가 아니라는 건 분명합니다."

"그렇다면 4월 20일 발생한 살인사건의 범인이 로베르토라고 생각하십니까?"

"아닙니다. 로베르토가 삼척까지 내려와서 살인을 저지른 증거는 없습니다. 박교익과 로베르토는 4월 19일에 뇌의학 포럼에 참가하고 있었습니다. 다만 저는 사라진 코마상태의 정수철이 그들의 실험에 이용될 것이라는 추측을 하고 있을 뿐입니다. 정수철의 부모는 아마도 박교익과 안면이 있는 상태였고 박교익이 중간에서 그 실험을 정씨 부부에게 종용했을 것이라고 생각됩니다. 아들을 살리고 싶은 순진한 시골사람들인 정수철의 부모는 아마도 박교익의 수술제안을 받아들였던 것 같습니다."

오형사는 좀 혼란스러운 듯 머리를 갸우뚱했다.

"하지만 만약 그렇다면... 코마상태에 빠진 정수철을 수술을 해서 살리는 것이 범죄라고 할 순 없지 않습니까?"

"이건 공식적이지 않은 불법 수술입니다. 어제 뉴스

못 봤어요? 의학계에서도 반대하고 있다니까요. 게다가 정수철이 살아난다고 누가 장담을 할 수 있겠습니까? 그들은 그저 실험을 하고 있을 뿐이라고요. 그것도 사람 목숨 가지고 말입니다."

도형사는 숨이 찬 듯 잠시 말을 멈추었다.

"그리고 그 실험은 며칠 안에 이루어질 것 같습니다. 아니면 몇 시간 후라거나. 시간이 없어요. 지금 당장 수색 영장이 필요합니다."

오형사는 여전히 모르겠다는 뚱한 표정을 짓고 있었다.

"정수철은 8년째 코마상태입니다. 그의 부모는 살해당했고요. 수술을 책임질 수 있는 사람이 없어요. 무슨 말인지 아시겠어요? 게다가 그 수술은 불법 수술이고요. 설사 정수철이 수술 중에 죽는다 하더라도 아무도 정수철을 찾을 사람이 없단 말입니다."

"그런데 도형사님이 찾는 건 살인범 아닙니까?"

"그렇죠."

"박교익의 알리바이가 분명하다면 그가 범인은 아

니지 않습니까?"

"알아요. 아는데"

"도형사님은 지금 엉뚱한 걸 찾으려고 하고 계신겁니다. 방향을 잃으셨어요."

21.

새벽 6시.

도형사는 어둠 속에서 불이 꺼진 '작은 별 병원'의 창문을 바라보고 서 있었다. 도시 형사의 도움 따위는 필요없었다. 심호흡을 한번 했다. 징계를 받게 될 것이다. 어쩌면 옷을 벗게 될지도 모르지. 삼척보다 더 먼 곳으로 가게 될까...

아무도 그곳을 의심하지 못할 거라 생각해서인지 현관문은 쉽게 열렸다. 도형사가 옷핀으로 몇 번 꼼지락거리자 문이 열려버렸다. 도형사는 실내를 조심히 훑어갔다. 실내는 낮은 조명도 켜지지 않아 캄캄한 상태였으므로 오로지 도형사의 휴대폰 불빛만으로 밝혀졌다. 넓지 않은 실내에 가벽으로 공간을 많이 나누어 놓아서 조금만 방심하면 부딪히기 일쑤였다. 도형사가 휴대폰 불빛으로 비추며 미로같은 가벽들을 통과해 안쪽으로 들어가자 침대 발치가 보였다. 도형사가 천천히 침대로 다가갔을 때, 24세 청년 정수철이 눈을 뜬 채로 누워있었다. 도형사는 얼른 정수철의 코에 손가락을 가져다댔다. 따뜻한 숨이 손가락에 닿았다 차갑게 사라지기를 반복했다. 도형사는 정수철의 얼굴에 불빛을 비추었다. 정수철의 표정은 아무런 변화가 없었고 동공도 반응하지 않았다. 하지만 정수철은 살아있었다.

도형사는 정수철을 어깨에 들쳐 업었다. 생각보다 정수철은 키도 크도 어깨도 넓었다. 8년간 누워만 있었다 하더라도 체격이 좋은 편이었다. 축 늘어진 그의 몸무게는 생각보다 훨씬 무거워서 윽 소리가 흘러나왔다. 이영선은 어떻게 외돌바위 계곡에서 혼자 정수철을 돌봐왔던 것일까.

작은 별 병원을 나와 거리에 섰을 때 거리 한쪽이 희끄무레 밝아오고 있었다. 택시를 잡으려고 손을 흔들었다. 그때 관리사무소에서 관리인이 나와 도형사를 보고 아는 척 손을 들다가 정수철을 보고는 의아한 듯 표정이 굳었다. 도형사는 관리인을 향해 입을 다물라는 손짓을 해보였다. 그리고 때마침 선 택시에 얼른 올라타 택시기사에게 말했다.

"방화동이요"

도형사가 이른 새벽 정수철을 들쳐 메고 본가에 들어서자 식사준비 중이던 아버지 어머니는 좀 놀라셨는지 눈을 뜨게 떴다.

"사정이 있어서 그러니 며칠만 좀 보살펴주세요."

아버지는 소파에 내려놓은 정수철을 잠시 내려다보시더니 고개를 끄덕하셨다.

"밥 먹고 갈거냐?"

어머니가 도형사에게 물었다.

"아니요. 그냥 갈게요. 죄송해요."

어머니는 수저 두 개를 들고 거실에 차려진 밥상으로 말없이 다가오셨다.
"근데 얘는 뭘 먹니? 보아하니 밥은 못 먹을 것 같

은데"
"환자용 유동식을 먹어야 하는데 제가 한번 알아볼게요."

어머니는 아버지처럼 말없이 고개만 끄덕였다.

22.

"만기가 겨우 1년 남았는데 정말 해지하시겠어요?"
"네. 깨주세요."
"저희가 속상해서 그래요. 30년 만긴데 겨우 1년 남았어요. 손해가 많으시니까요. 적금을 담보로 대출을 받으시는 게 오히려 손해가 덜할 것 같은데요."

은행 대출 담당자의 날렵한 눈썹을 보고있자니 경숙은 점점 부아가 치밀어 올랐다. 아침마다 거울 앞에서 곱게 화장하고 출근했다가 퇴근하면 월급 또박또박 나오는 것들은 저 가지런한 눈썹이 몽땅 뽑혀도 절대 알 수 없는 것들이 있다. 예를 들면 경숙의 두려움 같은 것.

경숙의 두 번째 동거남은 말이 몹시 거친 사람이었

다. 말이 거친 것은 별 흠이 아니라고 생각하던 경숙조차 혀를 내두를 정도로 상스러운 말들을 내뱉었다. 특히 젊은 여자들을 볼 때면 아무런 이유 없이 욕을 해댔다. 경숙이 옆에 있음에도 그런 말들을 내뱉었기 때문에 여자들은 오히려 경숙을 더 의아한 듯 바라봤다. 경숙은 그가 젊은 여자들을 향해 욕을 할 때면 팔짱을 낀 채로 어디 한번 덤벼 보시지 하는 표정으로 앉아 있었다. 딱히 그녀가 지을 수 있는 표정이란 없었다. 그렇다고 우물쭈물 비참한 여자의 표정도 짓고 싶지 않았다. 이런 남자와 동거를 하게 된 것은 그에게 큰 기대가 있어서가 아니라 생활비라도 줄여볼까 싶은 사소한 이유 때문이었다.

집 근처 삼겹살 집에서 삼겹살을 먹던 경숙이 그에게 그만하라는 한 마디를 하자마자 그의 주먹이 경숙의 왼쪽 얼굴을 강타했다. 넘어진 경숙이 손으로 불판을 짚는 바람에 큰 화상을 입었다. 사람들은 경숙을 안타깝게 바라봤지만 아무도 나서지 않았다. 손바닥의 뜨거운 고통보다도 사람들의 그 시선이 더 끔찍했다. 누구도 경숙의 편이 아니었다. 저 여자는 어쩌다 저런 남자와 만나는 것일까, 왜 저러고 산데. 그런 연민은 원치 않았다. 겨우 이런 남자와 만나고 있는 자신을 내보이는 것도 싫었다. 경숙은 오히려 씩씩하게 일어나 동거남의 팔짱을 끼고 그 삼겹살집을 나왔다.

다음날 아침 눈을 떴을 때 동거남의 모습은 보이지 않았고, 경숙의 카드는 사라졌다. 바로 카드를 정지했지만 그 이른 새벽 몇 시간 동안 동거남이 쓴 카드값은 천만 원에 가까웠다.

경숙은 원래 카드의 한도를 그렇게 많이 책정하지 않았다. 하지만 은행의 남자직원은 경숙 정도의 신용도라면 이 정도의 한도는 해야 한다고 강력하게 주장했다. 경숙은 뒤에서 기다리고 있는 반지르르한 카키색 코트를 입고 있는 여자가 몹시 신경이 쓰였기 때문에 그냥 그러자고 사인을 해버렸다.

새벽은 누군가가 떠나는 시간. 경숙에겐 그랬다.

누군가가 떠나고 나서야 은행은 문을 열고 뒤늦은 일수습을 시작했다. 누군가가 떠나는 것에 대한 책임이 전혀 없다는 듯이 마알간 웃음을 짓고 친절한 말을 늘어놓는다.

"내가 하겠다는 데 왜 니가 지랄이야? 니 적금이

야? 니가 부은거야?"

경숙은 참지 못하고 소리를 치자 사람들의 시선이 일제히 쏠렸다. 이젠 더이상 사람들의 시선 따위는 상관하지 않았다. 경숙에겐 그보다 중요한 삶의 목적이 생겼으니까.

그러기 위해서는 돈이 필요했다.

눈썹이 가지런한 직원은 탁탁탁탁 자판 두드리는 소리를 내며 "죄송합니다. 고객님. 곧 처리해 드리겠습니다."라고 했다. 직원의 한쪽 눈이 징긋 올라갔다 내려오긴 했지만, 아까와 달리 고분고분한 태도에 경숙도 다시 자리에 엉덩이를 붙였다. 등 뒤에서 감시하듯 서 있던 여자는 저만치 물러나 대기의자에 앉았다.

"고객님 이름으로 된 통장이 세 개 맞습니까? 적금통장 하나, 자주 사용하시는 통장 하나, 비정기 적금통장이 하나 있습니다."

"네 맞아요."

"비정기 적금 통장으로 3월 20일에 1억 8천 5백이 이체 되었는데 알고 계신가요?"

"네 알고 있어요."

은행 직원은 다시 한번 적금을 깨는 것이 아깝다는 표정을 지었지만 경숙을 종용하지는 않았다.

"비정기 적금 통장에 있는 돈은 현금으로 주세요."
"그럼 적금은 어떻게 하시겠습니까?"
"깨서 현금으로 주세요."
"전부 말입니까?"
"전부."
"네 알겠습니다."

은행을 나서자 전화가 울렸다. 박교익이었다.

"마경숙씨, 어디예요?"
"저 지금 은행 들렀다 나오는 길이예요. 어디서 볼까요?"
"그 도형사라는 사람이 붙지는 않았습니까?"
"아니요. 그 사람은 최형우와 이영선을 찾고 있어요."
"좋습니다. 그럼 한 시간 후에 삼각지 13번 출구 앞에 있는 2층 카페에서 만납시다."

“저 어디 들렀다 가야 해요. 한 시간 반 후가 좋겠어요.”

“흠… 내 계획은 실패했어요. 그런데도 난 마경숙씨와의 약속을 지키기 위해 애를 쓰고 있는 겁니다. 마경숙씨 통장에 있는 돈은 제 돈입니다. 그 돈을 받은 후 제가 마경숙씨에게 보수를 지불하겠습니다. 무슨 뜻인지 아시겠지요? 최형우가 있다면 일이 훨씬 쉬웠을텐데…”

“최형우가 그렇게 된 건 나도 마음이 아파요. 하지만 난 최형우와 관계없이 내가 일한 돈을 받겠다는 거에요.”

“물론입니다. 물론이죠. 그런데 지금 내가 얼마나 상심해 있는지 그 계획이 얼마나 완벽하게 준비되어 왔었는지, 비록 마경숙씨는 모르겠지만 설명하고 싶군요.”

“설명 따윈 듣고 싶지 않아요. 무슨 말을 하는지 어차피 이해도 못하니까. 쓸데없는 데 힘쓰지 마세요. 내가 당신을 위해 한 일들을 잊었어요? 지금이라도 경찰이 내 통장을 열어보고 있을지도 모른다는 엄청난 위험을 감수하고서 내가 당신을 위해 해주는 일이라는 것도 잊지 말아주었으면 좋겠네요.”

“맞습니다. 한 시간 반 뒤에 거기서 뵙죠.”

전화를 끊은 경숙은 영등포로 향했다.

전 동거남들이 많다는 것은 그들 중 질이 안 좋은 사람들이 많다는 뜻이다. 좋은 사람이었다면 계속 살았겠지. 그 많은 전 동거남을 거치면서 경숙은 그들을 이용하는 법도 배우게 되었다. 사람이 나이를 먹어간다는 것은, 사람이 나아진다는 것은 배움에 기반한 것이 아니겠나. 그 질 안 좋은 사람들 중에 돈만 찔러주면 사람 하나쯤은 쉽게 죽여줄 수 있는 사람도 있었다. 철순이 그 중 한 명이었다. 아마 철순이랑 계속 살았더라면 경숙도 죽은 사람 목록에 들어 있었을지도 모르겠다.

경숙은 철순에게 사진 한 장을 건넸다. 박교익의 사진이었다.

"이 사람 찾아줄 수 있어?"

"노인넨데?"

"언제 그런 거 가렸어?"

"그렇긴 한데 나도 나이를 먹으니까 맘이 좀 약해져."

"지랄하네. 나랑 살 때 좀 약해지지 그랬어? 날 죽일 듯이 팰 때는 언제고."

"얼마 줄건데?"
"헤어질 때 내 돈 빼간 거 있잖아. 그걸로 퉁 쳐."

철순은 사진을 도로 내밀었다.
철순은 어느 모로 보나 범죄를 저지르기에 딱 알맞은 인간이었다. 죄책감도 의리도 없었고 오직 돈에 의해서만 움직였다.

"그럼 얼마?"
"일을 맡기는 사람이 그건 알아서 줘야지."
"이백."
"너랑 살 때도 그렇게는 안 받았어."
"난 그거 밖에 없어."
"오백"
"사람 하나 찾는데 무슨?"

철순은 대답 없이 손톱깍기를 꺼내 들었다. 똑똑 소리 나게 손톱을 깍는 모습이 궁상맞고 징그럽기는 예나 지금이나 다를 게 없었다. 아무리 손톱을 짧게 깍아도 손톱 밑에 낀 시커먼 때는 사라지지 않았다. 경숙은 그 시커먼 때가 어쩌면 사람의 피가 굳은 것일지도 모른다는 생각을 하곤 했었다. 지금 철순의 손톱 아래에도 시커먼 때가 끼어 있었다.

"그냥 2~3일 정도 묶어 두면 돼. 그 다음은 풀어줘도 상관없고. 노인네니까 힘들진 않을거야. 삼백. 더는 없어."

"오백."

"니가 나한테 가져간 돈이 얼만데?"

"그건 그거고. 경숙이 니가 어지간한 일 아니면 날 찾아오지도 않았을 걸? 이 정도는 쓸만한 값어치가 있는 일이야. 난 뭐 무슨 일인지는 모르지만."

경숙은 결국 동의했다. 예전에 철순과 동거 생활을 정리할 때와 마찬가지로 경숙은 철순에게 탈탈 털린 뒤에야 그의 사무실을 나올 수 있었다. 지하철 역 보관함에 나머지 돈을 맡기고 간 것은 정말 다행이었다. 돈 냄새를 맡은 철순이 어쩌면 홀랑 털어 갔을지도 모르는 일이었다.

경숙은 명동으로 향했다. 명동은 경숙이 가장 좋아하는 곳이었다. 사람들로 넘치는 곳, 마음껏 돈을 쓸 수 있는 곳, 모르는 사람들은 누구나 친절하다. 물론 그다지 예쁘지도 않고 젊지도 않은 경숙에게 세상은 한 번도 친절한 적이 없었지만, 이곳에서라면 몇 푼의 돈이면 친절함을 얻을 수 있었다. 게다가 대부분이 외국인들이라 경숙의 거친 분위기를 경계하지도 않았다.

골목골목을 뒤지면서 경숙은 몇 군데 옷집에 들러 옷을 샀다. 젊은 취향이라 경숙에겐 맞는 사이즈가 없었지만 그래도 두 벌 정도는 건질 수 있었다. 스키니 청바지와 가벼운 티셔츠, 하늘색 카디건을 사고는 경숙은 만족스러웠다. 바지는 터질 듯 했지만 못 입을 정도는 아니었다. 백화점에 들러 경숙의 나이에 걸맞는 봄 코트도 한 벌 샀다. 그걸 입고 나니 거울 속의 경숙은 마치 딴 사람처럼 보였다. 늘 좋아했지만 한 번도 해보지 못했던 스카프도 하나. 썬글라스도 사고 싶었지만 그렇게 하면 너무 눈에 튈 것 같아 그만두었다. 짐이 어느 정도 들어갈 수 있는 보스톤백과 발이 편한 신발과 속옷도 한 벌씩 샀다. 박교익과 약속한 시간을 훌쩍 넘기고 나서도 경숙의 쇼핑은 멈출 줄을 몰랐다. 박교익의 전화가 숨가쁘게 울렸지만 무시해버렸다. 치졸한 노인네. 철순이 아직 박교익을 만나지 못한 건가 싶어 불안한 기분이 들었지만, 돈 받은 일만큼은 약속을 지키는 사람이라 철순을 믿기로 한다. 철순보다 오히려 박교익에 대한 분노가 더 치밀어 올랐다. 가난한 사람들 등쳐 먹은 돈을 달라고 저렇게 궁상을 떨고 있다니. 그게 무슨 그렇게 대단한 계획이라고.

경숙은 박교익이 자신의 뇌를 젊은 남자의 몸으로 이식하려 했다는 사실은 알지 못했다. 박교익은 자신의 뇌와 기억으로 영원히 살고 싶은 꿈을 실현시킬 찰라에 모든 것을 빼앗겨 버린 비운의 인물이라는 것을 경숙이 알았다 하더라도 지금의 경숙의 선택에는 아무런 영향을 끼치지 않았을 것이다. 경숙은 그런 꿈 따위는 꾸지 않았다. 알지 못하는 꿈은 꿀 수도 없는 법이다. 경숙에게 박교익은 가난한 사람들의 보험금을 빼앗는 그저 머리 좋고 치사한 늙은이에 불과했다. 그런 사람을 또 속이는 것쯤은 경숙에게 식은 죽 먹기였다. 심지어 박교익이 돈이 없어 비참하게 늙어 간다 하더라도 경숙에겐 조금의 양심의 가책도 느껴지지 않을 정도였다.

백화점 화장실에서 보스톤 백에 돈을 모두 집어넣고 속옷까지 새것으로 갈아 입었다. 입고 있던 옷들은 버렸다. 화장실 거울에 비춰진 마경숙은 이제까지 알던 마경숙이 아니었다. 그녀가 늘 바래왔던 새로운 삶이 이제 그녀의 눈 앞에 펼쳐지려 하고 있었다. 마경숙은 처음으로 거울 속의 자신을 똑바로 바라봤다. 처음으로 거울 속의 자신이 마음에 들었다. 자신은 달라진 것이 없었다. 피부도 푸석한 머리카락도 동네 미용실에 석 달에 한 번 하는 머리도 그대로였지만 백화점 옷을 걸치고 근사한 조명 아래에 서 보니 꽤나 근사해 보였다. 사람은 역시 어디에 있느냐가 중요해. 보광동 반지하에 있는 거울에 아무리 비춰봤자 이런 자신감은 생기기 않는다고.

마경숙은 당당한 걸음으로 백화점을 나섰다. 줄지어 늘어선 택시를 타고 말했다.

“동서울터미널이요.”

23.

독성 물질 : macrolepiota mastoidea(Fr) sing

원주 국과수의 검사 결과를 받아들고 도형사는 고개를 갸우뚱하며 연구원에게 되물었다.

"이 마크로레피오타 마스... 이게 뭡니까?"
"피해자의 위에서 발견된 버섯 이름입니다. 저희도 학명밖에 모릅니다."
"이게 죽음에 이를 정도로 강력합니까? "
"말씀드렸다시피 이게 버섯이라는 것밖에는 저희도 다른 정보가 없습니다. 국내에서는 한 번도 발견된 적이 없는 버섯이라 이름밖에 알려지지 않은 상태입니다. 저도 처음 보는 경우입니다. 독극물이 사인이지만 그 독극물이 버섯에 의한 것이라고는 확신할 수 없습니다. 이 버섯이 식용버섯인지 독버섯인지 알려진 바가 없으니까요. 이 버섯은 그러니까 처음 세상에 모습을 드러낸 셈입니다."

난감한 표정을 짓는 연구원을 더 닦달할 수 없어 일단 돌아 나왔다. 한 달이나 걸려서 알아낸 것이 겨우 '마크로' 뭐라는 이름의 독버섯 뿐이었다.

동그랗고 하얀 모양새의 버섯이었다. 버섯의 모양새에도 좋고 나쁨을 가릴 수 있다면 이 버섯은 좋은 축이었다. 갓이 동그랗고 아래로 부드럽게 말린 모양새가 순해 보였다. 전혀 독버섯처럼 보이지 않았다.

도형사는 원주시에 있는 한국임업협회를 찾았다. 방금 점심을 먹은 듯 사무실은 달큰한 짜장면 냄새로 가득 차 있었다. 벽 한 면이 창문으로 뒤덮인 오래된 사무실이었다. 오래된 알루미늄 은색 창틀은 겨울에는 무척이나 추울 것 같았다. 그래도 반투명 유리로 피할 곳 없이 쏟아지는 햇살은 몸을 노곤하게 만들 정도로 기분 좋았다. 구석에 있는 나무 문을 열고 나온 사무관은 도형사를 보며 환하게 웃어주었다.

"도형사님이십니까?"

마치 산을 타다가 방금 내려온 듯 검은 피부와 탄탄한 체격의 남자가 싱그러운 치약 향을 내뿜으며 입가에 묻은 물기를 닦아냈다.

"짜장면 냄새 많이 나죠?"
"아닙니다. 괜찮습니다. 제가 갑자기 연락드렸는데요. 만나주셔서 감사합니다."
"버섯 좋아한다는 형사님은 처음이라, 저도 반갑습니다."
"사실은 좋아한다기보다 사건에 좀 필요해서요."
"상관없습니다. 물어보세요. 저한테 공룡에 대해서

물어보시진 않을 거잖아요."

그렇게 말하곤 사무관은 하하하 웃었다. 자신이 말한 '공룡'이란 단어를 맘에 들어하는 것 같았다.

"마크로레피오타라는 버섯에 대해서 좀 알고 싶은데요. 혹시 자료가 있습니까?"

사무관은 옆에 끼고 온 버섯 도감을 책상에 내려놓았다.

"이 버섯 도감이 우리나라에서 나는 버섯들은 다 싣고 있다고 해도 과언이 아닌데요. 여기에도 '마크로레피오타'라는 버섯은 없습니다."
"사무관님께서는 혹시 들어보신 적이 있습니까?"
"네. 이름은 들어봤습니다. 외국에서 발견된 사례가 있으니까요."

도형사는 '마크로레피오타'의 사진을 보여주었다.

"저는 처음 봅니다. 생긴 게 '흰알광대버섯'이랑 비슷하네요. 우리나라에서 발견이 된 겁니까? 그럼 보고를 해야 하는데요."

"아닙니다. 이 사진은 인터넷에 올라온 겁니다."

"아 그렇군요. 모양은 '흰알광대버섯'이랑 비슷해요. '흰알광대버섯'은 아주 강한 독성버섯입니다. 맛이 아주 부드럽고 좋아서 흔히 오해를 하는데, 아주 맹독성으로 '죽음의 천사'라고도 불립니다."

"외국에서는 '마크로레피오타'가 독버섯으로 분류됩니까?"

"글쎄요... 사례가 있다고 해서 이것에 대한 정보가 다 기록되진 않습니다. 다만 어떤 등산객이 산에 가다가 이런 것을 발견한 적이 있다 정도의 기록이 전부인 경우도 많습니다. 우리나라에도 아직 이름도 없는 버섯들이 분명히 지금도 자라고 있을 거라고 저는 생각하고 있습니다. 다만 찾을 수 없을 뿐이죠. 버섯은 생장률도 좋지만, 변이도 많아서 전혀 다른 모습으로 자랐다가 사라졌다가 또 어딘가에서 포자를 터트려 숨어 있다가 자라났다가 하거든요. "

도형사는 두께가 6센티미터는 족히 될 버섯 도감을 펼쳐봤다.

"우리나라에 버섯이 이렇게나 많습니까? 시장에 가보면 기껏해야 서너 가진데요."

“보시면 아시겠지만 먹을 수 있는 버섯만 해도 수십 종입니다. 약재로도 많이 쓰이고요. 제 개인적인 생각이랄까 욕심은 생산되는 버섯이 좀 더 다양해졌으면 좋겠다는 겁니다. 매일 느타리, 송이버섯만 먹는 거 지겹잖아요. 모양이 좀 나빠도 맛이 좋은 버섯이 얼마나 많은데요. 거기 보시면 그 빨간 버섯도 독버섯 같아 보이지만 맛이 아주 좋거든요. 그런데 사람들이 색깔이 흉하다면서 좋아하지 않거든요. 참 그럴 땐 이 녀석들이 아주 안타깝다니까요. 생긴 것 때문에 제대로 된 대우를 받지 못하다니.”

사무관은 열변을 토하다가 본인이 머쓱한지 도형사의 눈치를 슬금 보며 입을 다물었다.

“버섯을 아주 좋아하시나 봅니다.”

도형사는 사무관이 무안해 할까봐 얼른 한마디 붙였다. 그리곤 천천히 버섯 도감을 살펴봤다. 찬찬히 보고 싶은 마음에 버섯 도감을 여기서 봐도 되겠냐고 사무관에게 청하자 그는 흔쾌히 그러시라며 버섯차를 한잔 갖다 주었다.

"이건 무슨 버섯입니까?"

초록색 건더기가 듬성듬성 떠 있는 것을 보고 도형사가 물어봤다.

"아, 이건 '뱀대가리마른풀버섯'이라구요, 제가 직접 채취해서 말린 겁니다."
"처음 들어보는데 식용입니까?"
"식용이긴 한데 먹는 사람은 없을 거예요. 한번 드셔보세요. 향이 아주 좋아요."

도형사는 선뜻 '뱀대가리마른풀버섯차'에 손이 가지 않았다. 이름이라도 다르게 지었다면 좋았을텐데.

"천천히 보세요."

사무관은 창가의 책상으로 돌아갔다. 오래된 철제 책상이었는데 먼지 하나 없을 정도로 잘 정리되어 있었다. 사무관은 그곳에 앉아 다시 무언가를 정리하기 시작했다. 그 모습이 마치 오래된 SF영화에 나오는 로봇 같아서 잠시 넋을 잃고 바라봤다. 오래된 창틀도 오래된 햇빛도 신형 로봇도, 그곳에 박제된 것들

같았다. 오랫동안 있어왔고 변하지 않는 것들.

그곳에 난생 처음 보는 모양의 분제 화분이 있었다. 바짝 마른 나뭇가지에 혹처럼 둥근 것들이 듬성듬성 붙어 있었다. 도형사는 홀린 듯이 그 기괴한 모양의 나뭇가지로 다가갔다. 혹처럼 둥근 것은 선인장이었다. 작고 붉은 선인장, 작고 노란 선인장, 작은 보라색 선인장이 나무에 듬성듬성 붙어 있었다. 이런 선인장을 어디서 봤더라? 어딘가에 붙어 있는 선인장. 도형사는 기억을 뒤집었다. 분명 어디선가 봤었다. 이런 햇살이 드는 창가... 그래 최형우의 반지하 창가였다. 그곳에도 이런 기생 선인장 화분이 있었다.

"신기하죠?"

사무관이 어느새 다가와 있었다.

"이건 살아있는 겁니까?"
"그럼요. 일 년에 두 번 정도 물을 줍니다."
"일 년에 두 번이요? 그래도 살아 있어요?"
"그럼요. 물이 부족하면 선인장 모양이 오그라들어요. 잊어버리고 있다가도 선인장이 오그라드는 소리가 들리면 아차 하면서 물을 줘요."

"오그라드는 소리가 들린다니. 거짓말이죠?"

"정말이에요. 보통은 저 혼자 있으니까 아주 조용하거든요. 저는 음악도 듣지 않으니까요. 그럼 '바스락' 하는 소리가 들려요. 그래도 물을 주지 않으면 '바스락 바스락' 그래도 물을 주지 않으면 '바스락 바스락 바스락'"

도형사의 표정이 믿지 못하겠다는 듯 일그러졌다.

"정말이에요. 하하하"

"차라리 공룡이 살아 있다고 하는 걸 믿겠네요."

자신의 '공룡' 단어를 빼앗긴 것에 대해 사무관은 언짢은 표정을 지었다.

"한국 교배접협회 회장님께서 직접 만드신 것을 기증하신 겁니다. 그분께 이 식물이 '바스락'소리를 낸다고 하면 그 분은 믿으실 거예요."

"한국 교배접협회라고요? 혹시 박교익회장님 말씀이신가요?"

"형사님도 아세요?"

박교익의 사진을 보여주자 사무관은 환하게 웃으며 고개를 끄덕였다.

“맞아요. 이분이요. 예전에 도계에서 병원을 하셨는데 가끔 들르셔서 버섯이나 임산물에 대해서 이것저것 물어보곤 하셨어요. 아! 그렇지. 이 나무 이름도 ‘마크로레피오타’예요. 그분이 그렇게 지으셨데요. 언젠가 세상에 모습을 드러내길 바라는 마음으로 그 이름을 지었다고 하셨어요.”

24.

5월 20일 삼척 호산항

거센 바람에 당기가 펄럭이고 북과 징소리는 항구가 떠나가라 울려 퍼졌다. 무당은 짙푸른 바다를 무대 삼아 펄럭펄럭 바람과 함께 춤을 추고 있었다. 이수명 선장은 무당 앞에 연신 머리를 조아렸다. 빙 둘러선 사람들은 오랜만에 거나하게 벌어진 해신제를 구경하고 있었다.

“가십시오. 훠어이 가십시오. 떠나간 분들 누구도 다시 이 바다를 건너 돌아오지 않게 해주십시오. 산 사람은 살아 돌아오게 해주십시오”

무당이 바다를 향해 소리쳤다. 배를 가진 선장들이 한 사람씩 차례로 나와 돈을 내며 머리를 조아렸다. 무당의 춤사위가 점점 바람을 닮아갔다. 선장들의 뒤를 이어 신주리가 봉투를 들고 섰다. 신주리는 아주 조심스럽고 공손한 태도로 봉투를 상 위에 올려놓고 절을 하고 머리를 조아렸다.

해신제를 지내고 있는 사람들 무리 한 켠에 김순경이 순찰차 안에서 이 모습을 지켜보고 있었다. 그때 누군가 순찰차의 유리창을 똑똑 두드렸다. 보니 항구 앞 물회 식당 집 아들이다. 김순경과 나이가 비슷해 인사 정도는 하는 사이이다.

"김순경 여기서 뭐해?"

"지나가는 길에 들러봤어. 이게 올해 마지막 해신제지?"

"응. 자기도 절 좀 하지 그래"

"뭐 빌게 있어야지."

"평화로운 삼척에 사건 사고 없게 해주세요 뭐 그런 거 빌어야 하는 거 아냐?"

김순경은 피식 웃었다.

“이선장님 배 타던 아저씨 살인범은 잡았어?”
“아니 아직”
“그 사건 이후로 거의 매일 해신제다. 아유 지겨워.”
“그러네”

김순경은 물회집 청년 너머로 사람들 틈에 서서 김순경 쪽을 보고 있는 신주리와 눈이 마주쳤다. 신주리에게 무엇을 빌었냐고 묻고 싶었다. 물회집 청년은 몸을 돌려 해신제 쪽을 바라봤다. 신주리가 사람들 틈으로 사라졌다. 물회집 청년이 다시 김순경을 보며 무심한 듯 말했다.

“별일 없지?”

김순경은 한 박자 늦게 대답했다.

“으응”

물회집 청년은 씨익 웃었다. 고른 치열 때문에 보기 좋은 웃음이었다.

"언제 물회 먹으러 와. 우리 집 맛있어."

그 집 물회 맛은 이미 동네 사람 모두 알고 있었다. 김순경은 고개를 끄덕였다.

정신 사나운 호산항에서 돌아온 김순경을 맞은 것은 돌아온 도형사였다.

"도형사님!"

김순경은 당장이라도 달려와 안길 듯이 반가워했지만 도형사는 온몸이 축 늘어져 좀처럼 일으켜지지 않았다.

"잘 지냈어?"
"지금 열흘째 매일 굿판이예요. 전국에 있는 무당이란 무당은 전부 모이는 것 같아요."
"범인은 못 잡고 귀신만 잡고 있네."

김순경은 도형사의 말이 재밌다는 듯 피식 웃었다.

"뭐 좀 알아낸 것 있습니까?"

도형사는 버섯으로 인한 죽음이라는 검시결과에 대해 간단하게 말해주었지만 박교익의 계획에 대해서는 말하지 않았다. 박교익의 계획을 김순경이 어떻게 받아들일지 알 수 없었기 때문이었다. 말도 안되는 소리라면서 도형사를 비웃을 수도 있었다.

“그렇다면 버섯 때문에 죽었는데 왜 그렇게 심한 상흔이 있을까요? 죽은 걸 모르고 또 찌른 건가요?”

“안타깝지만 정성일과 차순영을 죽이고 싶은 사람이 한 명이 아니었나봐.”

“저는 정말 이해가 안돼요. 돈이 있는 것도 아니고 정말 찢어지게 가난한 사람들이잖아요. 그런 사람들을 죽이려는 이유가 대체 뭘까요?”

“그 사람들의 시간과 노력... 그 시간은 누구에게나 공평하게 주어진 것이지만 이미 다 써버린 사람도 있으니까 다른 사람의 시간을 탐내는 거지.”

김순경은 한숨을 내쉬었다.

“처음 들어와서 버섯을 먹인 사람. 두 번째에 찌른 사람. 최소한 두 명의 범인이겠네요.”

“최소한 두 명. 그 중 한 명은 아마 최형우겠지.”

“그럼 나머지 한 명은 이영선 아닙니까?”

“이영선은 정수철을 찾으러 다녔어. 그리고 그녀는 코마 상태나 다름없는 최형우도 데려갔어. 이상하지? 코마 상태에 놓인 사람들을 찾으러 다니고 데려가. 마치 무언가로부터 그 사람들을 지키려는 사람 같아.”

“무엇으로부터요?”

“접붙이기?”

“무슨 말씀이신지…”

“박교익이 작은별 병원에서 하려던 게 무엇이었을까? 그 병원은 손님을 받지도 않는 유령병원이었어. 거긴 정수철만 있었다고.”

“무슨 실험 같은 것을 하려 했던 건가요?”

김순경은 예상외로 빨랐다.

“그 실험이라는 것을 하려고 할 때 가장 거추장스러운 사람은 누구일까? 실험에 필요한 돈은 이미 누군가 다 모아놨어.”

“박교익이 정수철의 부모를 죽였군요.”

도형사는 손톱으로 탁자를 탁탁 쳤다.

"내 생각도 그래."

"하지만 알리바이가 있지 않습니까"

"그게 문제야. 사실 최형우와 박교익 모두 정씨 부부를 살해할 동기가 있어. 하지만 이영선은 없어. 이영선은 박교익의 계획으로부터 사람을 살리려고 하는 것 같아."

"그렇다면 최형우도 박교익의 계획의 희생자라는 건가요?"

"글쎄... 최형우의 코마 상태는 우발적인 사건이라고 봐야 할 것 같은데. 박교익이 그걸 염두에 두진 않았을 것 같아. 물론 내 생각이지만."

도형사와 김순경은 잠시 말을 멈추었다.

도형사는 가는 곳마다 자신을 맞았던 기괴한 접붙이기 식물들을 떠올렸다. 그것은 우연이 아니었다. 박교익이 하려는 것은 로베르토 피살디의 실험 그대로를 자기 자신에게 행하는 것 아니었을까? 박교익의 뇌를 정수철의 젊은 몸에 이식하는 것. 뇌이식.

"만약 최형우가 코마 상태가 되지 않았다면 말이에요. 만약 그랬다면 최형우는 무엇을 얻어갔을까요? 박교익은 실험을 하고, 정씨 부부는 아들이 다시 나아지는 것을 기대했고, 모두가 뭔가를 원했잖아요. 그럼 최형우는 뭘 원했을까요? 뭘 얻으려고 한 걸까요?"

김순경의 질문에 도형사는 대답할 수 없었다. 최형우가 무엇을 원했을까라는 질문은 한 번도 해본 적 없었다. 지구대 문이 열리는 소리가 들렸다. 돌아보니 이수명 선장이 창백한 낯빛으로 서 있었다.

"선장님, 무슨 일이십니까?"
"형사님도 계셨네요. 잘됐습니다."

이수명 선장은 주머니에서 종이 봉투를 꺼내 내밀었다.

"이게 뭡니까?"
김순경이 열어보니 만원 짜리 지폐 한 다발이다.

"무슨 돈입니까?"
"이게 그러니까..."

이수명 선장은 난감한 표정을 지었다.

"정성일 그 사람 월급이요. 원래 한 달씩 미뤄서 주거든요. 근데 이번에는 통장에 넣어 줄 수도 없고 어디 줄 데가 없어요. 그래도 내가 가지기는 싫어. 아이구 싫어. 그래서 어떻게 할까 하다가 여기로 가져왔어요. 형사님이 어떻게 잘 처리해 줄 것 같아 가지고."

"저희가 이 돈을 어떻게 해요. 그냥 가져가세요."

"아이구 싫어. 난 싫어. 이 돈 가지고 있음 무슨 일이 일어날 것 같아. 원래 배 타는 사람들은 나쁜 짓 안 해. 아니 못해. 나쁜 짓 했다가 바다한테 무슨 짓 당할 줄 알고. 그 돈으로 술을 사 먹든 떡을 사 먹든 형사님이 알아서 해요. 난 모르는 일입니다. 난 줬어요."

이수명 선장이 달아나듯 지구대를 나가버리자 김순경과 도형사는 난감해졌다.

"정말 술이라도 사 먹을까요?"

김순경이 농담 삼아 말했지만 도형사는 대꾸하지 않았다. 김순경은 돈을 세어 보기 시작했다.

“125만원이네요. 새벽같이 일어나 배 타고 한 달에 125만원이라니 너무 하네요.”

도형사는 슬슬 배가 고파오기 시작했으므로 김순경과 오랜만에 저녁을 먹을 참으로 옷가지를 챙겼다.

“저녁으로 뭘 먹지?”
“아, 물회 어떠세요? 아까 낮에 호산항에서 친구 녀석을 만났는데 자기네집 물회 맛있다고 그러던데요.”
“호산항이면 삼동 물회?”
“네”
“그 집은 유명하잖아 맛 없는 걸로.”
“그러니까요. 근데 그렇게 말하는 걸 보니 뭐가 바뀌었나 싶기도 하구요. 궁금하더라구요.”
“그래? 그럼 한번 가볼까?”
“그럼 이 돈은 여기 서랍에 넣어 둘게요. 골치 아프게 생겼네요.”

돌아서던 도형사가 멈칫했다.

“잠깐만 아까 그 봉투에 든 돈이 얼마라 그랬지?”

"125만원이요."

"원래 정씨 월급은 140만원 아니었나?"

도형사는 자신의 노트를 펼쳐봤다. 그곳엔 분명히 140만원이라고 적혀 있었다. 굳이 이수명 선장에게 전화를 걸려는 도형사를 말리며 김순경은 그깟 15만원을 떼어 먹을거라면 아예 가져오지도 않았을 거라고 말했다. 맞는 말이었지만 도형사는 그 15만원이 궁금했다. 이내 전화를 받은 이수명 선장은 정성일이 하루 쉬었기 때문에 그만큼을 뺀 것이라고 했다.

"그 사람 하루도 쉬는 날 없이 열심히 했다면서요?"

"그랬는데 지난달은 4월 1일날 쉬고 싶다고 그러더라고요. 내가 그날은 출항이 있는 날이라 안된다고 했는데도 중요한 일이 있다고 그래서 쉬었습니다. 그래서 하루 치가 빠진 겁니다."

"1일이요? 확실합니까?"

"그럼요. 나도 헷갈릴까봐 꼭 적어 놓습니다. 아까 그 돈 들고 가기 전에도 적어 놓은 거 다 봤으니까 확실합니다. 뱃사람은 거짓말 안한다 안했소."

"그 이전에는 정성일이 쉰 적이 없었고요?"

“네. 처음 있는 일이었습니다.”

삼동 물회집을 향해 가면서 도형사는 말이 없었다.

“무슨 생각 하십니까?”

김순경은 어딘가 화가 난 듯한 도형사의 눈치를 보며 물었다.

“왜 굳이 그 집으로 먹으러 가는 것일까 생각하고 있었어. 물회라면 오히려 장터 쪽에 있는 형제 식당이 훨씬 맛있잖아.”

‘삼동 물회’이 집의 음식솜씨는 동네에서 유명했다. 동네 사람이라면 특별한 일이 아니면 그 집에서 음식을 먹고 싶어 하지 않았다. 세 명의 아들 이름 돌림자가 ‘동’이어서 ‘삼동 물회’라고 간판을 내걸었지만, 아들 자랑 말고는 딱히 내세울 것 없는 가게라는 것이 동네 사람들의 평이었다. 그래도 세 아들은 모두 성실하고 착했으므로 쓸쓸하게 잊혀져가는 호산항에서 새벽같이 문을 여는 유일한 집이었다.

"현동이가 제 친구거든요. 아까 호산항에 갔다가 우연히 만났는데 꼭 오라고 그러더라고요. 장사가 어지간히 안되는가 싶기도 하고. 팔아주면 좋잖아요."

"현동이가 첫째 아들인가?"

"둘째요."

김순경은 도형사를 보며 빙긋 웃었다.

"왜 웃어? 내가 웃겨?"

"도형사님도 삼척 사람 다 됐네요. 현동이가 첫째니 둘째니 이런 얘길 하시는 걸 보니 몇 십년 이곳에서 산 사람 같아요."

"그런가… 8년이면 뭐 삼척 사람이지."

말은 그렇게 했지만 아직도 운전을 하다가 길을 잃곤 했다. 어디에도 속하지 못한다는 부유하는 느낌은 서울이든 삼척이든 상관없이 따라다녔다.

"자 도착했습니다."

현동은 반갑게 그들을 맞아주었지만 가게 안은 손님 하나 없이 썰렁했다. 삼형제만 쓸데없이 힘을 내고 있었다. 현동이가 맛있다고 자랑하는 물회 두 그릇을 주문하고 도형사와 김순경은 마주 앉았다. 잠시 침묵이 흘렀다. 막상 마주 앉으니 어색함이 넘쳐 흘렀다. 물회 두 그릇을 만들면서 주방에서 현동 형제들은 시끄러웠다. 일본 주방을 흉내 낸 것이지 "어이, 어이"하는 소리를 내자, 요란한 소리를 내며 스테인레스 그릇이 바닥에 떨어지는 소리가 들려왔다. 가게의 인테리어도 예전과 달라졌다. 일본 풍의 손 흔드는 고양이 인형이 자리를 잡았고 그 위에 사진 액자가 생겼다. 현동의 할머니부터 어머니, 현동 형제들과 자식들의 사진이 차례로 정리되어 있었다. 가게의 전통성과 역사성을 드러내고 싶은가본데, 이 가게는 그 정도로 전통적인 가게라 하긴 어려웠다. 형제들은 새로운 분위기를 내기 위해 몇 가지 새로운 시도들을 한 것으로 보였지만 그것이 효과적인지는 아직 알 수 없었다. 차라리 현동의 엄마가 혼자 장사 할 때가 음식 맛은 그저 그랬어도 편안한 분위기여서 좋았다. 그땐 맛이 없으면 맛이 없다고 푸념이라도 할 수 있었지만, 지금은 그래서는 안될 것 같았다.

물회의 맛은 그저 그랬다. 아니 맛이 없었다. 회는 신선했지만 고질적인 그 초장맛이 문제였다. 삼동 물회의 초장은 어머니때부터 이어온 문제의 맛이었다. 인테리어도 바꾸고 그릇도 바꾸었지만 그 끔찍한 초장의 맛 만큼은 바꿀 수가 없었나보다. 김순경은 책임감을 느끼며 물회를 비워냈다. 김순경은 도형사의 눈치를 슬쩍 봤지만 그 역시 정신없이 입 속으로 물회를 퍼 넣고 있었다. 물회가 맛있어서라기보다는 골똘히 생각에 잠겨서 무의식적으로 손만 움직이고 있는 것 같았다. 그 모습을 본 현동이 옆으로 다가왔다.

"맛이 어때? 괜찮지?"

김순경은 서둘러 꿀떡 삼켰다.

"응. 뭐가 좀 바뀐 것 같아."
"이거 내 입으로 말하기는 좀 그런데 서울에서는 우리 집이 꽤 유명한가봐."
"무슨 말이야?"
"얼마 전에 우리 집에 서울에서 온 손님이 왔었거든. 새벽에 문 열기도 전인데 이 앞에 서성거리고 있더라고. 그러더니 블로그에서 봤다면서 물회를 두 그릇이나 먹고 갔어."

도형사와 김순경의 눈이 마주쳤다. 도형사의 입술이 움찔거리는 모양새가 곧 내뿜기라도 할 것 같았기에 김순경은 얼른 시선을 돌렸다.

"그래?"

"동네 사람들은 우리 집 물회가 맛이 없느니 초장 맛이 별로라느니 말이 많잖아. 근데 사실은 우리 집이 전국적인 입맛이었던거야. 그래서 이 참에 인테리어도 싹 다시 했지. 좀 서울 취향으로. 괜찮지?"

"그 손님이 맛이 있데?"

"두 그릇이나 먹고 갔다니까. 새벽부터. 여기 사진도 찍고 갔다. 방송국에서 나온 사람인가 싶더라."

현동은 얼른 사진을 내밀었다. 김순경은 대충 봐도 방송국에서 나온 사람이 아니라는 것쯤은 알 수 있었다. 김순경이 서둘러 내려 놓은 사진을 현동은 다시 도형사에게 자랑스럽게 건넸다. 도형사는 마지 못해 사진을 받아 들었다. 이내 그의 입에서 씹혀지지 못한 싱싱한 오징어들이 쏟아졌다.

"마경숙이잖아."

"봐라. 유명한 사람이라니. 역시 서울 사람은 딱 봐

도 안다."

현동은 뿌듯해했고 김순경은 어리둥절했다.

"마경숙이 누군데요?"
"이 사진 언제 찍은 겁니까?"
"그러니까... 한 달 쯤 된 거 같은데... 아 그 아저씨 부부가 죽은 날, 그 날입니다. 그 날 새벽에 문도 열기 전에 와서 기다리고 있었어요. 그래서 오늘 참 운이 좋구나 했는데 그 사건이 확 터지는 바람에 이게 뭔 일인가 싶었어요."

현동이 내민 사진 속에선 현동과 마경숙이 나란히 서서 물회 그릇을 든 채로 웃고 있었다. 도형사는 숟가락을 던지다시피하고 일어섰다. 김순경도 얼른 따라 일어났다.
저녁 시간이 지난 호산항은 스산하고 황량하기까지 했다.

"최형우가 아니라 마경숙이었어."
"마경숙이라면 최형우와 동거하던 그 여자 맞죠?"
"그 여자 집에서 발견된 삼척행 버스 티켓은 최형

우가 쓴 것이 아니었어. 그 버스 티켓은 마경숙이 것이었어. 마경숙은 그 날 버스를 타고 이곳에 온거야. 새벽에 삼동 물회에서 아침을 먹었다면 사건이 일어나고 이수명 선장까지 달려갔을 시각이야. 그때까지 마경숙은 여기 있었던거야."
"마경숙이 범인 중에 한 명인건가요?"
"마경숙은 최형우를 찾으려는 게 아니었어."

도형사는 머리를 감싸 쥐었다. 차가운 바닷바람에도 온 몸에서 열이 들끓는 것 같았다.

"보험금"

김순경이 소리쳤다.

"무슨 보험금?"
"정수철의 보험금이 마경숙의 통장에 들어가 있잖아요."
"아"

도형사는 다리에 힘이 풀리면서 스티로폼 생선 상자에 주저앉았다. 왜 한 번도 그 생각은 하지 못했을까.

사건 현장이 지나치게 깨끗했던 것은 차순영의 깔끔함도 있겠지만 마경숙이었기 때문이었다. 마경숙은 청소일을 하는 여자였고 청소하는 방법은 누구보다 잘 알고 있었다.

"김순경, 나 버스터미널에 좀 데려다 줘."

"서울 가시게요? 차를 가져가세요."

"아니야. 버스 타는 게 좋겠어."

김순경은 말없이 버스 터미널 쪽으로 방향을 돌렸다.

"마경숙이 없으면 어쩌시려고요?"

"마경숙은 최형우를 통해서 박교익을 알게 됐어. 사랑이나 운운하고 있는 최형우보다는 마경숙이 훨씬 일을 도모하기에 믿음직하다는 생각을 박교익도 했겠지. 최형우는 미끼였어. 최형우가 범인으로 몰릴 수 있다는 것도 마경숙은 알았어."

"마경숙은 그날 버스를 타고 삼척에 내려와서 정성일과 차순영에게 버섯을 먹인건가요? 하지만 어떻게 먹이죠? 정성일과 차순영은 마경숙을 모르잖아요. 모르는 사람이 주는 모르는 버섯을 냉큼 먹을 사람이 있을까요?

김순경의 말은 일리가 있었다.

"마경숙은 두 번째 범인이야."
"세 번째도 있을까요?"
"아마도."
"그럼 첫 번째는요?"
"첫 번째는 이미 죽었어."
"누구요? 최형우요?"
"정성일"
"네?"
"김순경도 그랬잖아. 모르는 사람이 모르는 버섯을 준다고 먹을 사람이 누가 있냐고. 버섯을 먹인 사람은 분명 아는 사람이야."
"하지만 정성일의 위에서도 버섯이 검출됐잖아요. 혹시 자살을 말하시는 거예요?"
"동반 자살이라고 나는 생각해."

김순경을 말을 잃은 채 앞만 바라봤다. 그의 얼굴이 그렇게 무서우리만치 어두워진 것은 처음이었다.

"전 그 생각에 동의하지 않아요. 다른 건 모르겠지만 도형사님의 그 의견에는 전 절대 동의할 수 없어요. 다른 범인이 있는 거예요."

김순경의 목소리는 부들부들 떨리기까지 했으므로 도형사는 혹시나 사고가 나지 않을까 싶어서 운전대를 잡았다.

"정신 차려 김순경."
"네. 네. 죄송합니다."
"이유를 말해 줘?"
"네."
"아까 이수명 선장이 정성일의 월급을 가져왔을 때 기억해? 정성일이 지난달 1일에 쉬었다고 했어. 매월 1일은 차순영이 쉬는 날이었어. 최형우와 외돌 바위 계곡의 그 집에서 몰래 만나는 날이기도 했지. 매월 1일 차순영과 최형우는 그곳에서 만났다고."

도형사가 여기까지 이야기하자 김순경은 신음처럼 한숨을 내뱉었다.

"정성일이 알았군요. 차순영과 최형우의 관계를 알

았어요."
"외돌 바위 계곡을 샅샅이 뒤져. 그 버섯이 아마 거기 있을거야."

도형사를 태운 서울행 버스가 떠나고 난 뒤에도 김순경은 한참이나 그 자리에 서 있었다. 일찍 인적 끊긴 거리는 눅진한 어둠과 소금 냄새가 배어 있었다. 어둠과 바닷냄새가 섞이자 묘한 피 냄새처럼 느껴졌다. 지금도 갓 내려앉은 어둠 속에서 누군가 죽어가고 있지 않을까. 김순경은 문득 신주리의 이름을 입 밖으로 나지막이 중얼거렸다. 그녀가 보고 싶었다.

그녀는 김순경의 갑작스러운 전화를 받지 않았다. 낮엔 항구에서는 끈적한 눈빛을 건네놓고선 모른 척 하는 것 같아 화가 났지만 어쩔 도리가 없었다. 그녀가 가능한 시각에 김순경에게 다시 전화를 걸기를 기다리는 수밖에. 발걸음을 돌리려다가 문득 멈춰섰다. 그때가 '매월 1일'이 되면 어떡하지? 김순경은 머리를 저었지만 끈적한 삼척의 밤공기는 머리 구석구석에 들러붙어 떨어지질 않았다. 아무리 숨을 크게 내쉬어봐도 아무리 마른 세수를 해봐도 '매월 1일'이라는 말은 밤공기보다 무섭게 파고들었다.

25.

'누가 와.'

영선이 돌아보자 정성일이 힘없는 웃음을 지으며 서 있었다.

"귀도 밝아."
"뭐라고 영선아?"
"수철이가 아까부터 누가 온다고 그랬거든요."

차순영이라면 마음껏 비웃었겠지만 정성일은 그저 웃으며 수철의 옆에 앉았다. 영선은 그의 소리 없는 웃음을 좋아했지만 갑작스러운 등장은 불안했다. 그는 한 번도 이렇게 등장한 적이 없었다. 영선은 그대로 서서 정성일을 바라봤다. 정성일은 여전히 웃고 있기는 했지만 밝은 햇살 아래에서조차 얼굴에 그늘을 드리우고 있었다.

"영선이는 수철이 말이 들려?"
"그럼요."
"영선이는 마음이 착한가봐. 수철이의 말도 들리다

니. 나나 수철이 엄마는 안 들려. 우린 나쁜 사람들인가봐."
"아줌마는 나빠요. 아저씨는 모르겠어요."

수철은 영선에게 입을 다물라고 소리쳤지만, 영선은 달리 방법이 없었다. 영선에게는 상상력이라는 게 없었다. 그저 사실 그대로를 말할 수밖에. 정성일은 만난 적이 거의 없었으므로 그가 어떤 사람인지 영선은 알 수 없었다.

"그래 아줌마는 나쁘지... 영선이가 나보다 훨씬 많은 것을 알고 있구나."

수철이가 하도 요란스럽게 말렸기 때문에 영선은 그냥 입을 다물기로 했다. 수철이 때문에 기분이 상한 영선은 버섯을 더 따기 위해 바위 아래로 몸을 돌렸다.

"영선아 한 가지 부탁해도 돼?"
"네"
"수철이랑 꼭 같이 있어 줄래? 수철이가 수술을 하고 다 나아도 수철이랑 같이 지내줘. 둘이 친하게 지내고 서로 지켜줘. 그럴 수 있어?"
"아줌마랑 아저씨가 있잖아요."
"만약 아무도 없게 되면, 그렇게 되면 영선이가 수철이 손잡아줘. 가족이 되어서 함께 살아가줘. 수철이는 잠을 너무 오래 자서 아무것도 모를거야. 하지만 영선이는 강하고 똑똑하니까 수철이 좀 가르쳐 줘."

영선은 곤란한 표정으로 서 있었다.

"내가 똑똑해요?"
"그럼. 난 그렇다고 생각해."
"다들 나보고 모자라다고 했어요. 아줌마도 나보고 모자라니까 얘는 모를거야 라고 말했어요."
영선의 말에 정성일은 입술을 꾹 깨물었다. 그의 표정은 점점 더 어두워지고 있었다.

"넌 모자라지 않아. 우리보다 훨씬 좋은 마음을 가지고 있는거야. 영선이 니가 아니었다면 수철이는 지금처럼 살아있지도 못했을거야. 나도 아줌마도 모두 너에게 감사하고 있어. 너의 선하고 강한 마음에 감사하고 있어."

정성일의 칭찬에 영선은 웃었다.

‘그러겠다고 대답해.’

”생각 좀 해보고.“

”생각해 보고 대답해줘. 영선이가 싫다면 할 수 없어. 나는 아주 오래, 아주 많은 일들을 겪으며 살아왔다고 생각했는데, 그런데도 믿을만한 사람이 너밖에 없는 것 같아. 아무리 생각해도 아무리 주위를 둘러봐도 믿을만한 사람이 너밖에 없어.“

정성일의 눈동자가 붉어졌다.

”영선아, 내가 너무 싫은 사람이 있는데 어쩌면 좋을까.“

”싫어하면 되잖아요.“

”예전에는 너무 좋아하던 사람이었어. 아주 많이 좋아하던 사람이었는데 이젠 싫어.“

영선은 바위 아래에서 자라고 있는 버섯을 한 웅큼 따서 돌아왔다.

”그건 뭐하려고?“

"이거 먹으면 큰 일 나요."
"그럼 얼른 버려."

정성일의 걱정 어린 말에도 불구하고 영선은 양 손 가득 버섯을 든 채로 서 있었다. 정성일은 수철과 버섯을 번갈아 바라봤다. 정성일의 얼굴에서 그늘이 어둠으로 자리 잡았다. 영선은 해가 구름 뒤로 숨은 것인지 하늘을 올려다 봤지만 구름 한 점 없는 날씨였다. 정성일은 영선이 내민 버섯 더미를 받아 들었다. 수철을 보며 웃어주려 했지만, 얼굴은 마음처럼 움직여 주지 않았다.

모두가 떠난 외돌바위 계곡을 한참이나 헤매던 김순경은 영선이 허리를 구부리고 있던 그 바위 아래서 버섯 무리를 찾아냈다. 도형사가 사진으로 보여주며 찾으라 했던 '마크로레피오타'였다.

26.

예상대로 김순경은 외돌 바위 계곡에서 '마크로레피오타'를 찾아냈다. 또한 그는 동해 시외 버스 터미널의 CCTV 조회로 정성일이 차순영과 같은 시간대에 그곳에 있었다는 증거도 확보했다.

정성일은 그 날, 차순영을 따라갔다. 최형우와 차순영이 땀을 흘리며 벗은 몸을 부대끼고 있는 방문 밖에서 숨조차 제대로 내쉬지 못한 채 서 있었다. 방안에서 들려오는 조금은 낯선 목소리를 최형우라고 확신하기까지 그렇게 오랜 시간이 걸리지 않았다. 떠나자는 최형우의 말이 들려오자 정성일은 휘청거리는 다리를 그대로 돌려 개울가로 도망치듯 달아났다. 차순영이 뭐라고 답했건 중요하지 않았다. 그녀가 거기에서 그와 누워 있던 것으로 답은 이미 나와 있었다. 정성일은 자신의 마음이 절망으로 가득 차 더이상 갈 곳이 없다는 것을 분명히 알고 있었다. 떠나고 싶은 저들의 관계 또한 더이상 갈 곳이 없었다. 모두가 갈 데까지 가버렸다.

정성일은 차순영과 버섯 반찬으로 저녁을 먹은 뒤 일찍 자리에 누웠다. 둘은 아침 일찍 조업을 나가는 정성일을 위해 이른 잠자리에 들었다. 정성일은 숨이 좀 가빠왔다. 그때쯤 차순영이 답답한 듯 이불을 걷어차며 일어나려 했지만, 정성일이 다시 잡아 눕혔다. 차순영은 그제서야 정성일의 눈을 볼 수 있었다. 아주 오랫동안 고통을 참아온 그의 눈은 실핏줄이 모두 터져 벌개져 있었다. 마주 앉아 밥을 먹으면서도 정성일의 눈을 본 적은 없었다. 그들은 서로의 얼굴을 그렇게 마주 본 적이 없었다. 그 얼굴에서 보이는 것이 무엇일지 너무 잘 알고 있었다. 정성일의 붉은 눈에서 맑은 눈물이 차순영의 얼굴로 떨어졌다. 그 눈물이 채 마르기 전에 차순영은 숨이 잦아들며 눈을 감았다. 이상하게도 그다지 억울하다는 생각은 들지 않았다. 살아왔던 것에 비한다면 과분한 죽음이었다. 정성일도 뒤이어 차순영의 옆에서 가지런히 누워 눈을 감았다.

경숙이 이 방에 들어선 것은 그로부터 2시간 정도 지난 후였다. 박교익은 이들 부부가 사라져 주길 원했다. 대포 통장 제공과 거추장스러운 정성일과 차순영까지 처리해 주는 조건으로 경숙은 꽤 많은 수수료를 받기로 했다. 최형우 같은 사람을 만난 것은 행운이라고 경숙은 쾌재를 불렀다.

조심스럽게 그들의 방으로 들어섰을 때 방에선 한기가 느껴졌다. 아무리 초봄이라고 하지만 지나치게 썰렁했다.

"보일러라도 좀 돌리지"

자기도 모르게 툭 말해놓고서는 경숙은 입을 틀어막았다. 하지만 방안에선 아무런 움직임도 없었다. 잠시 어둠에 눈이 익숙해지길 기다린 경숙은 부엌칼로 정성일과 차순영의 목을 잘랐다. 박교익이 알려준 대로 하려 했지만, 온갖 일을 다 겪어본 경숙도 살인은 처음이라 힘으로 자르느라 애를 먹었다. 깊이 잠든 두 사람은 피를 흘리면서도 깨어나지 않았다. 이미 두 사람이 죽었다는 것을 모르는 경숙은 다행이라고 생각했다. 경숙은 차순영을 한 번 더 찔렀다. 이 여자가 최형우와 그렇게 오랫동안 관계를 유지해 오고 있는 여자라고 하니, 그 정도는 경숙의 몫으로 해두고 싶었다.

경숙은 바닥을 깔끔이 닦고 칼은 세제까지 사용해 씻어 두었다. 쓰고 있던 장갑과 헤어캡은 마찬가지로 세제에 씻어 가방에 챙겨 넣었다. 모두가 박교익이 알려주었다. 일은 생각보다 쉬웠고 경숙은 2시 15분 경에는 그곳을 떠날 수 있었다.

미리 잡아둔 모텔로 돌아간 경숙은 자려고 누웠지

만 도무지 잠이 오지 않았다. 평소에는 앉기만 해도 잠이 쏟아지는 경숙이지만 30분을 누워 있어도 정신은 점점 맑아지기만 했다. 싸구려 모텔을 잡아서인지 온몸이 간지러운 것 같기도 했다. 경숙으로서는 선택의 여지가 없었다. 모든 것은 박교익의 계획하에 있었고, 박교익이 정한 동선 이외의 곳은 갈 수 없었다. 물론 계획을 벗어난다는 것은 경숙에게도 위험한 일이었으므로 불만이 있는 것은 아니었지만 기왕이면 좀 좋은 모텔을 잡았다면 얼마나 좋았을까 생각했다. 경숙은 일어나 밖으로 나왔다. 모텔에서 한 블록 건너에 편의점을 본 기억이 있다. 그곳에서 맥주라도 마신다면 기분이 좀 나아질 것 같았다.

평소에 술을 그다지 즐기지 않는 경숙이지만 맥주 생각을 하니 왠지 걸음이 빨라졌다. 낯선 도시의 편의점 앞 파라솔에 앉아 맥주를 마시자니 마치 여행을 온 것 같은 기분이 들었다. 바닷바람은 신선했고 맥주는 맛있었다. 맥주를 한 모금 마신 뒤 바닷바람을 한 웅큼 들이키자 전에 없이 회를 먹고 싶다는 생각이 들었다.

경숙은 여행을 가 본 적이 없었다. 여지껏 한번도 여행을 하고 싶다는 생각조차 한 적 없었지만 이렇게 나름 여유로운 시간을 가지고 보니 그것도 괜찮겠다 싶었다. 이번 일이 잘 지나가면 이라고 작게 기도를 했다.

"가족끼리 여행 오셨나봐요."

한국말이긴 했는데 너무 낯설어서 이 지역 사투리인가 싶었다. 고개를 들자 짧은 금발 머리 외국 남자가 맥주 한 캔을 들고 서 있었다. 나이는 30대 중후반, 짙은 바다색 경량 패딩. 남자의 얼굴에는 적의는 없었지만 조금 지쳐보였다.

"뭐라고요?"
"가족끼리 여행 왔어요?"
"한국말 잘 하네요."
"한국에 오래 살았어요."

금발 머리 남자는 쭈뼛거리며 서 있었다.

"심심해서 맥주 마셔요."
"나도 그래요."
"같이 마실래요?"

경숙은 그러라고 했다. 맞은 편에 앉은 금발 머리 남자는 고맙다는 듯 웃었다. 경숙은 쓸데없이 가슴이 벌렁거렸다. 최형우의 웃음을 본 지도 언제인지 기억나지 않았다.

"난 여기 살아요."

금발 머리의 이름은 '블락'. 삼척에 있는 중학교에서 영어를 가르친다고 했다.

"러시아에서 왔어요."
"러시아? 그렇게 멀리서 왔어요?"

경숙은 눈이 동그랗게 뜨며 되물었다. 러시아라면 얼마나 걸리려나. 비행기로 12시간쯤 걸리지 않을까? 경숙이 일하는 게스트하우스에는 외국인 손님들이 많았지만 정작 그들과 이야기를 나눠 본 적은 없었다. 그들과 마주칠 일도 그렇게 많지 않았다.

"가까워요. 바로 요기서 배 타면 되요. 동해항에서 배 타면 블라디보스톡까지 23시간 걸려요."
"배? 배를 탄다고요?"

"블라디보스톡까지 가는 배가 있어요. 블라디보스톡은 내 고향이에요. 여기 러시아 사람들 많아요."
"블라디보스턴에서 온 블락이구나."

경숙의 말에 블락은 허리를 젖히며 웃었다.

"보스턴이 아니라 보스톡. 블라디보스톡."
"블라디보스톡."
"경숙은 여기 왜 왔어요? 여기 살아요?"
"혼자 여행 왔어요. 사는 곳은 서울."
"와, 멋있다."
서울이긴 하지만 반지하에서 궁상을 떨며 살고 있다는 말이 목구멍까지 밀고 나왔지만 하지 않았다.

"반가웠어요. 경숙. 나중에 서울에 가면 만나요."

맥주를 다 마신 블락은 졸리다면서 먼저 일어섰다. 편의점 앞에 파라솔이 하나밖에 없었기 때문에 그것을 나눠 쓴 것 뿐이었다. 블락은 허리를 굽혀 "안녕히 가세요."라고 인사를 하더니 사라졌다. 그가 사라지자 경숙은 갑자기 쓸쓸해졌다. "와 멋있다"는 블락의 말이 자꾸만 귓가에 맴돌았다.

모텔의 간지러운 침대에 누워서도 그 말은 경숙의 귓가에서 떠나지 않았다. 그녀답지 않게 밤새 잠을 설친 경숙은 아침 일찍 짐을 싸서 모텔을 나섰다. 정처 없이 걷던 경숙은 인적도 없는 이름 모를 항구에 이르렀고, 이전에는 한 번도 먹어 본 적조차 없는 물회를 먹었다.

서울행 버스를 타고난 뒤에야 물회를 먹은 항구는 박교익의 계획에 없던 곳이라는 것을 떠올렸지만 상관없다고 고개를 저었다. 어차피 모든 것이 다 처음이었으니까. 살인도 삼척도 러시아도.

어쩌면 그것은 새로운 삶일지도 모르겠다.

27.

경숙은 물 한 병과 귤 한 줄을 사서 동서울 터미널의 플라스틱 의자에 앉았다. 버스 시간이 늦어지고 있었다. 도형사로부터 세 번이나 전화가 왔지만 받지 않았다. 박교익으로부터는 더이상 전화가 없는 것을 보니 철순이 잘 처리했다는 확신이 들었다.

경숙은 자신을 걱정하는 눈빛으로 바라보고 있는 도형사의 모습을 떠올렸다. 형사가 되기엔 지나치게 여린 사람이었다.

8시 30분 출발 버스는 40분이 되어도 오지 않았다. 매표소의 직원은 터널 내 추돌 사고로 늦어진 버스 때문에 버스 회전률에 문제가 생겼다는 말만 되풀이 했다.

"얼마나 기다려야 해요?"
"모르겠어요. 저희도 확인 중이에요."

귤을 우물거려 보았지만, 입안이 까끌거려 무슨 맛인지 알 수도 없었다. 지금까지 지나치게 운이 좋았던 것일까. 모든 계획은 완벽했다. 그 계획의 끝은 동해항이었다. 경숙은 다음날 오후 2시 러시아, 블라디보스톡으로 떠나는 배 편을 예약했다. 그곳에서 한국 반찬 가게라도 작게 하면 어떨까 하는 생각을 했다.

오늘 밤 동해에 도착해 하룻밤 자고 내일 점심 무렵 동해항으로 가면 된다. 시간은 충분했다. 아니 시간은 충분하다고 몇 번이나 마음속으로 중얼거렸지만 그럴수록 오히려 다리가 떨려왔다. 불안한 눈빛으로 버스들이 들고 나는 상하차장을 어슬렁거렸다. 그 중에 경숙이 기다리는 버스는 없었다.

8시 35분이 되자 조급했던 마음이 신체적 신호로 왔다. 경숙은 짐을 든 채로 화장실로 갔다. 화장실은 그다지 깨끗해 보이지 않았다. 당연히 거울에 비친 경숙의 모습도 백화점과 비교할 수 없을 정도로 추레해 보였다. 그 비싼 백화점 옷도 터미널 화장실의 하얗게 질린 형광등 아래서는 찍 소리 못하고 죽어버렸다. 짐을 밖에 둘 수 없어 다 챙겨 들고 들어갔다. 하나는 문고리에 걸고 다른 하나는 가슴팍에 끌어안은 채로 소변을 보고 나자 허벅지가 저릿저릿했다. 화장실 좌우 칸막이에는 구멍이 숭숭 뚫려 있고 누군가 다시 돌돌 말은 종이를 끼워 놓았다. 예전 같으면 그 칸막이 구멍으로 카메라가 들어와도 볼테면 보라고 했을테지만 지금은 왠지 게름직했다. 큰돈을 가지고 있자 모든 것이 신경이 쓰였다. 더운 날씨가 아니었음에도 불구하고 일을 보고 나오자 등줄기에서 땀이 흘러내렸다. 좁은 화장실 통로로 사람들과 경숙의 짐가방이 부딪혔다. 요란한 옥반지를 낀 여자는 경숙을 향해 노골적으로 눈을 흘겼지만 경숙은 대꾸하지 않았다. 얼른 세면대로 다가갔다. 가방 하나는 다리 사이에 끼고 다른 하나는 가슴에 안은 채로 대충 손을 씻고는 화장실을 나섰다. 입구에서 '하아' 하고 한숨을 내쉬며 고개를 들었을 때 경숙은 "어머나" 소리를 지르며 그 자리에 주저 앉았다. 사람들이 일제히 경숙을 바라봤지만, 경숙 눈에는 눈앞에 서 있는 시커먼 남자의 모습밖에 보이지 않았다. 그건 단순히 남자가 아니었다. 무자비한 그녀의 과거, 철순이었다.

"니가 왜 여기 있어?"
"너 따라 왔어."

철순은 웃지도 않고 대답했다.

"왜 날 따라와? 그 노인네는 어쩌고?"
"난 노인네보다 니가 더 관심이 가더라고. 나 원래 너 많이 따라다녔잖아."
"우린 끝났잖아. 내가 돈도 줬고. 그럼 일을 처리해야지."
"우린 끝났는데 니가 다시 또 찾아왔잖아. 이번에는 니가 날 찾아온거야."
"난 더 볼 일 없어. 그 노인네나 잘 처리해줘."

철순의 시선이 경숙의 가방으로 내려갔다. 그의 목울대로 침이 꿀꺽 내려갔다. 그가 무슨 생각을 하는지 말하지 않아도 알 수 있었다. 경숙은 가방을 움켜쥐었다. 철순의 시선이 경숙의 얼굴로 움직이려 할 때, 화장실로 밀려드는 사람들을 피하는 척 밀려나 뛰기 시작했다. 사람들은 마치 경숙을 향해 달려드는 것처럼 걸리적거렸다. "비켜" 경숙은 소리치며 뛰었지만 아무도 비키진 않았다. 늘 그렇지. 쫒아 오는 사람은 있어도 비켜주는 사람은 없었다. 뒤를 돌아보진 않았지만 철순은 경숙 가까이로 손을 뻗고 있었다. 경숙은 지하로 내려가는 에스컬레이터로 뛰어들었다. 지하는 사람들이 그다지 붐비지 않았다. 경숙은 바로 보이는 저가 생활용품점으로 달려들었다. 철순의 눈은 정확히 경숙의 뒤통수를 따라잡고 있었다. 코너를 돌던 경숙은 사람들이 모여선 그릇 진열장 아래로 몸을 숙였다. 철순이 두리번거리며 달려가는 것을 확인하고는 몸을 숙인 채로 반대 방향으로 뛰었다. 다시 생활용품점을 빠져나온 경숙은 에스컬레이터를 타고 1층으로 올라와 터미널을 빠져나왔다. 심장이 미친 듯이 뛰었다.

건널목 앞에는 많은 사람들이 신호를 기다리고 있

었다. 경숙은 파란 불을 기다리지 못하고 건널목으로 뛰어들었다. 그와 동시에 억센 힘이 경숙의 뒷덜미를 잡아 당겼다. 경숙의 입에서 놀람 대신 자지러진 비명이 터져 나왔다. "으아아아아악"

"마경숙씨, 정신 차려요."

도형사였다. 경숙을 걱정해 주는 사람은 이 세상에 그 하나뿐인 것처럼 또 걱정스런 눈빛으로 경숙을 보고 있다. 도형사의 등 뒤로 다가오던 철순과 경숙의 눈이 마주쳤다. 경숙이 눈짓으로 도형사를 가리키자 철순의 걸음이 느려졌다. 철순은 경숙의 눈짓의 의미를 알고 있었다. 경숙은 도형사의 팔짱을 꼈다. 피해야 할 일이 많이 저지르고 살아온 사람들은 직감적으로 형사나 경찰 부류의 사람들을 알아채는 재주가 있다. 그런 재주는 그들의 직업적 능력임과 동시에 생존 본능과도 같은 것이었다. 그런 면에서 철순은 능력과 본능 어느 것도 빠지지 않았다.

마주 걸어 오던 철순이 그대로 경숙을 스쳐갔다. 철순은 마침 바뀐 파란 신호를 따라 길을 건너는 사람들 무리에 섞였다. 길을 건넌 철순은 건너편에서 꼼짝도 하지 않고 서서 이쪽을 바라보고 서 있었다. 도형사는 수갑을 꺼내기 위해 경숙의 팔짱을 뺐다. 경숙은 다시 도형사의 팔을 잡았다. 도형사는 다시 빼며 경숙의 이름을 불렀다. 경숙은 어지럽고 귀가 멍해졌다. 도형사는 잔인한 심판관처럼 경숙의 살인 행위를 큰소리로 내뱉고 있었고, 길 건너편의 철순은 고개를 갸웃하며 이쪽을 보고 있었다.

"마경숙씨, 당신을 살…"
"잘못했어요. 평생 사죄하며 살게요. 한번만 봐주세요. 한번만"

경숙은 식은땀을 비오듯 흘리고 있었다. 도형사가 "마경숙씨"라고 몇 번을 불렀지만, 경숙은 겁에 질린 표정으로 어딘가를 바라보고 있었다. 도형사는 경숙의 팔목에 수갑을 얹었다.

"마경숙씨, 당신을"

경숙은 어느 쪽으로도 갈 수 없다는 것을 알고 있었다. 어느 쪽으로도 가고 싶지 않았다. 러시아, 러시아에 가고 싶었는데… 쓰바시바 라고 말하고 싶었는데. 건널목 신호는 빨간색으로 바뀌었다. 기다리던 차들이 일제히 달려나가기 시작했다. 사거리 끝에서 빠른 속도로 달려오는 모터사이클이 경숙의 눈에 들어왔다.

"사체 훼손 혐의로..."

도형사의 말이 채 끝나기도 전에 경숙은 달려가는 차들 사이로 달려들었다.

"마경숙씨!"

전속력으로 달려오던 모터사이클은 그녀의 인생에서 가장 빠른 속도로 달려든 경숙과 부딪혔다. 모터사이클과 경숙은 공중으로 날아올라 3미터 밖으로 떨어졌다. 경숙의 몸은 모터사이클 아래로 휘말려 들어가 도로 위를 함께 굴렀다. 맞은 편에서 달려오던 차가 미처 피하지 못하고 모터사이클을 다시 치받자, 모터사이클과 경숙은 그제서야 빙그르르 돌며 멈추었다. 모터사이클 운전자는 저만치 아래에서 나뒹굴고 있었고, 모터사이클 바퀴에 옷이 휘감긴 경숙의 머리와 팔은 완전히 꺾여 있었다.

도형사가 달려갔을 때, 경숙은 이미 숨을 멈춘 상태였다

도형사는 주위를 둘러봤다. 사람들이 모여들고 있었다. 그 사람들의 검은 머리 사이로 재빠르게 움직이는 머리통이 보였다. 그 머리통이 쑥 아래로 사라지더니 경숙이 던진 가방을 들어 올렸다. 바로 옆에 있는 다른 가방도 집어 들었다. 그리고 그는 지하철역 안으로 유유히 사라졌다.

도형사의 전화가 울렸다.

"도형사님, 여기 용산선데요. 최형우 환자 찾았습니다."

"살아 있습니까?"

"네 살아 있습니다. 이 환자를 데려간 이영선, 구지훈이라는 사람하고 같이 있습니다. 최형우 환자 데리고 병원 돌아다니는 걸 CCTV에서 확인하고 잡았습니다. 근데 이 사람들 좀 이상해요. 누굴 찾고 있다는데..."

"마경숙은 죽었어요."

도형사는 쓸쓸하게 내뱉었다.

"누가 죽어요?"

"누가요. 누가 죽었어요."

"무슨 말인지. 아무튼 도형사님, 이쪽으로 좀 와주시죠."

도형사는 한참이나 마경숙 곁을 떠나지 못했다. 도형사가 서울에 오지 않았다면 마경숙은 살았을까? 마경숙은 살인범이 아니었다. 물론 사체 훼손이라는 중범죄자였지만 살인은 아니었으므로 참작의 여지가 있었다. 게다가 도형사는 그것이 박교익의 사주라는 것을 밝혀낼 자신이 있었다. 그럴 계획을 가지고 있었다. "죽지 않아도 됐었는데" 도형사는 중얼거렸다.

아무도 마경숙을 모른다는 것이 가슴 아팠다. 아무도 마경숙을 기억하지도 못할 거라는 사실이 마음 아팠다. 여기 있는 많은 사람들은 팔 다리가 꺽인 끔찍한 시체로 마경숙을 기억하겠지. 차마 눈 뜨고 볼 수 없는 모습으로 길 한가운데에 널브러져 있던 여자가 있었어라고 누군가에게 무용담처럼 말을 전할지도 모르겠다.

도형사는 자신의 외투로 마경숙을 덮었다.

28.

살해 현장에서 사체의 눈 위에 올려져 있던 동전의 지문은 영선의 지문과 일치했다. 마경숙이나 최형우, 정성일, 차순영 누구의 지문도 그 동전에서는 발견되지 않았다. 살해 현장에 남아 있는 증거들은 모두 영선의 것이었다. 교복도 동전도.

영선은 도형사와의 만남에서 자신이 정수철의 부모를 죽였다고 말했지만 도형사는 믿지 않았다.

그녀는 살인 사건의 현장에 들어서자 가지런하게 뉘여져 있던 피해자 인형을 흩어지게 뉘였다. 원래 핏자국이 있던 모양과 일치하는 위치였다. 그리곤 영선은 다시 인형을 이불 위로 가지런하게 누였다. 주머니를 뒤져서 동전 하나씩을 정성일과 차순영의 눈 위에 올려두었다.

"생각해보겠다고 한 것, 대답하려고 돌아왔어요. 수철이 걱정은 마세요. 내가 지켜줄게요."

영선은 마치 진짜 정성일에게 말하듯이 한참이나 정성일 인형을 내려다보고 있었다. 그리곤 입고 있던 교복을 벗어 옷장 안에 개어 두었다. 그녀가 옷을 갠 모양은 현장에 남겨졌던 모양과 일치했다.

”옷이 없어요. 난 분명히 여기 있던 옷을 입었는데“

영선이 빈 옷장 앞에서 말했다.

”좋아. 거기 있던 옷을 입었다고 치자.“

영선은 그 시간을 복기하듯이 잠시 그대로 서 있더니 조금 물러서 옷장을 닫았다. 방 입구에 도형사와 삼척서에서 나온 파견 감식 인원이 잔뜩 서 있었지만 영선은 개의치 않고 그들을 헤치며 방을 나갔다.

영선이 나간 방은 도형사가 봤던 사건 현장의 모습 그대로였다.

”이제 수철이를 찾으러 가도 돼요?“

영선의 말에 도형사는 고개를 끄덕였다.

29. 에필로그

1998년 서울 방화동 방화 사우나

사우나 한 켠에서 때수건이나 일회용 비누를 팔고 있는 이 씨는 늘 웃는 얼굴이었다. 아이를 특히 좋아했던 이 씨는 자기 딸과 비슷한 나이의 아이들이 때수건을 사러 오면 헤죽헤죽 웃으며 때수건을 두 장씩 주기도 했다. 셈이 느려 500원짜리 때수건 살 때 천 원짜리를 내면 한참이나 잔돈을 세야 했지만, 그나마도 맞지 않아서 손님들이 일일이 계산을 했다. 그럴 때면 이 씨는 연신 고맙다고 고개를 숙여 몇 번이나 말하곤 했다. 대부분의 손님들은 이 씨를 좋아했다. 이 씨는 늘 웃고 있었다. 이따금 부인이 같이 와서 앉아 있었는데 부인도 웃고 있었다. 이 씨의 축 쳐진 눈을 보며 놀리는 아이들도 있었지만 이 씨는 개의치 않았다. 아이들이 때리는 시늉을 하면 바닥에 뒹굴며 아픈 시늉을 하면서도 웃었다. 아이들은 그런 이 씨의 얼굴을 양손으로 감싸 쥐고 마주보며 깔깔대고 웃었다.

조용하던 사우나 안이 시끌시끌해졌다. 한 손님의 지갑이 없어졌다는 것이다. 잠깐 자리를 비운 주인을 대신해 이 씨가 달려왔다. 죄송하다고, CCTV를 가리키며 걱정 마시라고 말했지만 손님은 다짜고짜 이 씨의 뺨을 때렸다.

“니가 뭔데 걱정하라마라야? 니가 주인이라도 돼?”
이 씨는 몸을 연신 좌우로 움직이며 머리를 긁적이며 말했다.

“주인 아닙니다. 주인 곧 옵니다.”
“그럼 꺼져 이 개새끼야.”

그럼에도 불구하고 이 씨는 계속 허리를 숙여 미안하다고 말하고 있었다. 다른 손님이 이 씨의 팔을 끌었지만 이 씨는 계속 그 자리에 있었다. 왠지 점점 화가 치밀어 오른 지갑을 잃어버렸다는 손님은 이 씨의 배를 발로 찼다. 이 씨가 바닥에 나동그라졌다.

“개새끼 너 계속 미안하다고 하는 거 보니 뭔가 켕기는 게 있나본데. 니가 훔친 거 아냐? 너 여기 하루종일 앉아 있잖아. 그럼 내가 지갑 넣고 그러는 것도 다 봤을 거 아냐. 니가 훔쳤지?”
“죄송합니다. 죄송합니다.”
이 씨는 계속 말했다. 손님은 이 씨를 발로 밟고 손으로 마구 때렸다. 본인도 참을 수 없는 듯 점점 손에 힘이 들어가고 있었다. 이 씨의 입술에서 피가 나고 이빨이 뽑힐 지경이었다.

"뭐가 죄송한건데? 말해 봐. 이 모자란 새끼야."

"죄송합니다."

뒤늦게 돌아온 주인이 뜯어말렸고 CCTV판독 결과 훔친 사람을 잡았지만, 지갑 잃어버린 손님은 이 씨에게 미안하다고 말하지 않았다. 사우나 주인은 손님에게 이 씨에게 사과할 것을 요구했지만 손님은 시치미를 떼고 딴청을 피우며 미안하다고 말하지 않았다.

이 씨에게 사우나에 나와서 일을 하라고 애초에 제안했던 사우나 주인은 이 씨에게 이렇게 고생하지 말고 그냥 구청에 가서 지적장애인 등록을 하라고 했다. 부인과 딸까지 모두 등록하면 지원금이 나오니 이렇게 고생하지 않아도 된다고 말했지만 이 씨는 그건 싫다고 고개를 저었다.

"죄송하지만 장애인이라고 불리는 건 싫어요. 내 힘으로 살고 싶어요. 죄송합니다."

"자꾸 죄송하다고 말하지 말아요. 이 씨가 잘못한 게 없는데 죄송하다고 하니까 사람들이 더 괴롭히는 거예요."

사우나 주인 도 씨는 이 씨 가족이 안쓰러웠다.

"미안해서 그래요. 난 그 손님 때리고 싶어요. 많이 때리고 싶어요. 그래서 미안해요."
"그게 뭐가 미안해요? 이 씨는 안 때렸잖아요. 오히려 맞은 건 이 씨예요."
"난 마음속으로 내가 맞은 것보다 훨씬 많이 때렸어요. 미안해요. 그래서 그 손님이 더 화가 났을 거예요."

이 씨는 멍이 들어 제대로 떠지지도 않는 눈으로 웃으며 말했다. 이 씨는 이 웃음 뒤에 나쁜 마음이 있었다고 하지 않아도 될 고백까지 하고 있었다.

사우나 주인과 이 씨는 손을 마주 잡고 머리를 숙이며 몇 번이나 미안하다고 서로에게 말했다. 며칠 뒤 이 씨는 마지막 인사를 하러 왔다. 가족들과 함께 깊은 산속으로 들어가겠다고 했다.
"다신 돌아오지 않을 거예요."

이 씨가 말했다. 사우나 주인, 도 씨는 그래도 힘이 들면 언제든 돌아오라고 말했다. 이 씨가 일할 사우나는 언제나 있으니. 이 씨는 그 말에 무심히 고개를 끄덕였다. 사우나 주인 도 씨는 들고 갈 짐도 없이 손가방 하나 달랑 들고서 방화동을 떠나는 이 씨 가족의 뒷모습을 오랫동안 바라봤다. 이 씨의 가족들이 앞으로 어디로 가서 어떻게 살게 될까 잠시 머릿속으로 그려봤지만, 상상력이 부족해서인지 잘 그려지지 않았다. 일곱 살 난 어린 영선이 고개를 돌려 잠시 뒤를 바라봤다.

다음 달 쉬는 날에는 이 씨가 어디에 있다는 연락이 닿고 어쩌면 그를 한 번 찾아가 볼 수도 있을 것 같다는 생각을 하며 돌아서던 도 씨는 갑자기 눈물이 뚝 떨어졌다. 너무나 난데없이 눈에서 떨어져 버렸기에 도 씨 자신도 놀라 그대로 멈춰섰다. 새가 똥을 쌌나, 비가 오고 있나 하늘을 올려보는 일은 부질없는 것이었다. 그 물 한 방울은 분명 도 씨의 눈물샘에서 울컥거리며 쏟아져 나온 것이었다. 도 씨가 다시 뒤를 돌아봤을 때, 이 씨와 그의 가족들의 모습은 어디에도 없었다. 그 느린 걸음이라면 저만치 가는 모습이 보일 법도 한데, 누군가 골목 어귀에서 그들의 뒷모습을 낚아채기라도 한 것처럼 보이지 않았다.

불의 고리

발 행 | 2024년 1월 26일
저 자 | 박윤
펴낸이 | 한건희
펴낸곳 | 주식회사 부크크
출판사등록 | 2014.07.15.(제2014-16호)
주 소 | 서울특별시 금천구 가산디지털1로 119 SK트윈타워 A동 305호
전 화 | 1670-8316
이메일 | info@bookk.co.kr

ISBN | 979-11-410-6875-2
www.bookk.co.kr